Chamb
Italian
Verbs

Chambers

CHAMBERS
An imprint of Chambers Harrap Publishers Ltd
7 Hopetoun Crescent, Edinburgh, EH7 4AY

Chambers Harrap is an Hachette UK company

This third edition published by Chambers Harrap Publishers Ltd 2009
First published as *Harrap's Italian Verbs* in 1990
Second edition published 2002

A CIP catalogue record for this book is available from the British Library.

ISBN 978 0550 10508 0

10 9 8 7 6 5 4 3 2 1

Project Editors: Alex Hepworth, Kate Nicholson
With Helen Bleck

www.chambers.co.uk

Designed by Chambers Harrap Publishers Ltd, Edinburgh
Typeset in Rotis Serif and Meta Plus by Macmillan Publishing Solutions
Printed and bound in Spain by Graphy Cems

INTRODUCTION

Chambers' concise yet authoritative guide to Italian verbs is designed to be a quick, straightforward reference for all learners of Italian. It opens with some essential grammatical information, explaining in accessible terms how different verb types are conjugated and how the various tenses are used. The main body of the book is then comprised of verb tables, showing the full conjugation of over 200 Italian verbs which can be used as models for all the others. In the extensive bilingual index, verbs are cross-referred to the table whose model they follow, while those used as models themselves are clearly marked.

This new edition has been updated with a smart two-colour design to make consultation even easier and more enjoyable. Suitable for everyone from beginners to experienced language learners, this pocket reference is an essential companion for anyone wishing to communicate effectively in Italian.

CONTENTS

A GLOSSARY OF GRAMMATICAL TERMS

ACTIVE The active form of a verb is the basic form as in **I *remember* him.** It is normally opposed to the **PASSIVE** form of the verb as in **he *is remembered.***

AUXILIARY Auxiliary verbs are used to form compound tenses of other verbs, eg ***have*** in **I have seen** or ***had*** in **he had gone.** The main auxiliary verbs in Italian are **avere** and **essere.**

CLAUSE A clause is a group of words which contains at least a subject and a verb: **he said** is a clause. A clause often contains more than this basic information, eg **he said this to her yesterday.** Sentences can be made up of several clauses, eg **he said/he'd call me/if he were free.**

COMPOUND TENSES Compound tenses are tenses consisting of more than one element. In Italian, the compound tenses of a verb are formed by the **AUXILIARY** verb and the **PAST PARTICIPLE: ho acceso, mi sono alzato, sono andato.**

CONDITIONAL This mood is used to describe what someone would do, or something that would happen if a condition were fulfilled, eg **I *would come* if I had the money, the chair *would have broken* if he had sat on it.** The conditional is commonly used in Italian with verbs of wishing or preference, and to quote what a third party has said (eg ***vorrei* andare in Italia, secondo i giornali *il re sarebbe morto***).

CONJUGATION The conjugation of a verb is the set of different forms taken in the various tenses and moods of that verb.

DIRECT OBJECT The direct object is a noun or a pronoun which in English follows a verb without any linking preposition, eg **I met *a friend.***

ENDING The ending of a verb is determined by the **PERSON** (1st/2nd/3rd) and **NUMBER** (singular/plural) of its subject.

GERUND In Italian, the gerund of a verb is invariable and corresponds to the verb form which ends in **-ing** in English and **-ando** or **-endo** in Italian.

IMPERATIVE This **MOOD** is used for giving orders, eg **stop!**, **go!** or for making suggestions, eg **let's go.**

INDICATIVE The indicative is the form of a verb normally used in making statements or asking questions, eg **I like**, **he came**, **we are trying**, **do you see?** It is opposed to the **SUBJUNCTIVE**, **CONDITIONAL** and **IMPERATIVE** moods.

INDIRECT OBJECT A pronoun or noun which follows a verb sometimes with a linking preposition (usually **to**), eg **I spoke to *my friend/him***, **she gave *him* a kiss.**

INFINITIVE The infinitive is the 'basic' form of the verb as found in dictionaries. In English it is often preceded by **to**, eg **to eat**, **to finish**, **to take.** In Italian, the vast majority of infinitives end in **-are**, **-ere** or **-ire.**

INTRANSITIVE VERB Intransitive verbs do not take a **DIRECT OBJECT** (eg **Peter sneezed loudly**).

MOOD This is the name given to the four main areas within which a verb is conjugated. *See* **INDICATIVE**, **SUBJUNCTIVE**, **CONDITIONAL**, **IMPERATIVE.**

NUMBER The number of a noun indicates whether the noun is singular or plural.

OBJECT *See* **DIRECT OBJECT** *and* **INDIRECT OBJECT.**

PASSATO PROSSIMO This name has been used throughout this text for the compound past tense known in English as the **PERFECT TENSE** (eg **I have eaten**).

PASSATO REMOTO This name has been used throughout this text for the simple past tense known in English as the ***past definite tense*** (eg **I ate**).

PASSIVE A verb is used in the passive when the subject of the verb does not perform the action but is subjected to it. The passive is often formed with a part of the verb **to be** and the **PAST PARTICIPLE** of the verb in question, eg **he was remembered.** It is generally opposed to the **ACTIVE** form.

PAST PARTICIPLE The past participle of a verb is the form which is used after **to have** in English in the formation of compound tenses, eg **I have *eaten*, he has *said*, you have *tried*.**

PERSON In each verb tense there are three persons in the singular (1st: **I ...**, 2nd: **you ...**, 3rd: **he/she/it ...**) and three in the plural (1st: **we ...**, 2nd: **you ...**, 3rd: **they ...**). Note that in Italian the 3rd person forms are also used with the pronouns **Lei/lei** and **Loro/loro**, which are, respectively, the polite singular and plural forms of 'you'.

PRESENT PARTICIPLE The present participle (eg **parlante speaking, credente believing, udente hearing**) in Italian has almost exclusively an adjectival function. If used with a verbal function, eg **questa è una congiunzione *reggente* due proposizioni**, the present participle agrees in number only (**due congiunzioni *reggenti* ...**).

REFLEXIVE Reflexive verbs 'reflect' the action of the verb back onto the subject, eg **I dress myself.** In Italian, they are always used with a reflexive pronoun, they always take **essere** as their auxiliary verb in compound tenses, and their past participle always agrees in number and gender with the subject.

STEM *See* **VERB STEM.**

SUBJECT The subject of a verb is the noun or pronoun which performs the action. In the sentences **the train left early** and **she bought a CD, *the train*** and ***she*** are the subjects.

SUBJUNCTIVE Whilst the subjunctive is a verb mood which is relatively rarely used in English, eg **if I *were* you, God *save* the Queen,** it is commonly used in subordinate clauses in Italian after certain conjunctions and infinitives.

SUBORDINATE CLAUSE A subordinate clause is a group of words with a subject and a verb which is dependent on another **CLAUSE**, ie it cannot stand alone. For example, in **he said he would come,** ***he would come*** is the subordinate clause dependent on ***he said.***

TENSE Verbs are used in tenses, which indicate the time at which an action takes place, eg in the present, in the past, in the future.

TRANSITIVE VERB Transitive verbs are those that take a **DIRECT OBJECT** (eg **he ate the apple**).

VERB STEM The stem of a verb is its basic unit to which the various endings are added to form the tenses and moods. To find the stem of the vast majority of Italian verbs, remove **-are**, **-ere** or **-ire** from the infinitive. For example, the stem of **parlare** is **parl-**, **cadere** > **cad-**, **finire** > **fin-**.

VOICE The two voices of a verb are its **ACTIVE** and **PASSIVE** forms.

GRAMMATICAL INFORMATION

A TYPES OF VERB

There are three main conjugations for Italian verbs. In the vast majority of cases the ending of the infinitive indicates the conjugation:

Virtually all verbs ending in **-are** belong to the first conjugation, eg **parlare**; virtually all verbs ending in **-ere** belong to the second conjugation, which has two main sub-types dependent on stress position, eg **credere, vedere**; virtually all verbs ending in **-ire** belong to the third conjugation which has two main sub-types dependent on present tense endings, eg **sentire, finire.**

All regular verbs follow the pattern of one of these conjugations.

Models for these and for a considerable number of irregular verbs are given in the verb tables of this book. The reader will note that a large number of verbs ending in **-ere** are irregular.

B USE OF TENSES AND MOODS

Verb tenses and moods are formed by adding various endings to the stem of the verb (ie the infinitive minus the ending **-are**, **-ere** or **-ire**).

1 PRESENT

The present tense is used in the following cases:

i) to express present states:

sto bene
I am well

ii) to express general or universal truths:

la vita è dura
life is hard

iii) to express the immediate future:

torno subito
I'll be right back

iv) to express the English present progressive:

scrivo una lettera
I am writing a letter

v) to express a fact, situation or circumstance taking place at the moment of speaking:

il telefono squilla
the telephone is ringing

oggi è una bella giornata
it is a beautiful day today

vi) to express habitual, regularly repeated actions or events:

il treno per Milano parte ogni mattina alle nove
the train for Milan leaves every morning at nine o'clock

d'estate andiamo al mare
in the summer we go to the seaside

vii) the present tense is commonly used in proverbs to convey their universal value:

chi dorme non piglia pesci
the early bird catches the worm

viii) to indicate constant facts which occur naturally:

il sole sorge nell'Oriente
the sun rises in the east

2 PRESENT PROGRESSIVE

The present progressive in Italian is formed with the present tense of **stare** plus the gerund of the verb in question, eg **cosa stai facendo?** (what are you doing?), **sto leggendo il giornale**

(I am reading the newspaper). It is used:

i) when an activity is actually taking place:

sta leggendo una lettera
he/she is reading a letter

ii) or an activity begun in the past and continuing into the present even if it is not happening at the moment of speaking:

sto scrivendo un libro
I am writing a book

iii) to emphasize continuing action:

stanno ancora parlando
they are still talking

3 IMPERFECT

The imperfect tense is used:

i) to express something that was going on in the past:

facevano molto rumore
they were making a lot of noise

ii) to refer to something that continued over a period of time in the past, as opposed to something that happened at a specific point in the past:

guardavamo la televisione, quando nostro zio arrivò
we were watching television when our uncle arrived

iii) to describe an habitual action that used to take place in the past:

quando ero giovane andavo spesso a Torino
when I was young I often went to Turin

iv) to describe or set the background of a story or historical narrative:

il sole brillava
the sun was shining

le truppe italiane combattevano nell'Africa centrale
the Italian troops fought in central Africa

Note that the imperfect progressive is formed with the imperfect of stare plus the gerund of the verb in question:

stavo leggendo un romanzo
I was reading a novel

4 *PASSATO PROSSIMO*

The *passato prossimo* is used to express a completed action in the recent past, or a completed action in the past (even the distant past) which relates to the present:

ieri sono andato/a a Bologna
yesterday I went to Bologna

Maria si è traslocata da Firenze a Pisa trent'anni fa
Maria moved from Florence to Pisa thirty years ago
(understood: and she still lives in Pisa now)

5 *PASSATO REMOTO*

The *passato remoto* is used to express a completed action in the past which does not relate to the present:

Dante morí a Ravenna nel 1321
Dante died in Ravenna in 1321

molte persone morirono di peste nel Seicento
many people died of the plague in the seventeenth century

6 PLUPERFECT

The pluperfect tense is used:

i) to express what someone had done or had been doing, or something that had happened or had been happening in the past, particularly in reported speech:

il mio amico aveva telefonato mentre ero fuori
my friend had phoned while I was out

ii) to express a past action completed before another past action:

era appena tornato, quando qualcuno bussò alla porta
he had only just returned when someone knocked at the door

7 FUTURE

The future tense is used:

i) to express future actions or happenings:

l'anno prossimo andrò in Italia
next year I will go to Italy

ii) to express probability, likelihood or approximation:

quanto pesa questa scatola? – peserà circa due chili
how much does this box weigh? – it probably weighs about two kilos
che ore sono? – saranno le undici
what's the time? – it'll be (about) eleven o'clock

iii) to express a questioning doubt:

dove mai sarà Enrico?
where on earth can Enrico be?

iv) to express a concession:

avranno anche ragione
they may well be right

v) to express certain exclamations:

non ci crederai!
you won't believe it!

8 FUTURE PERFECT

The future perfect tense is used:

i) to indicate that an action in the future will be completed by the time a second future action applies:

quando avrò finito questo lavoro, andrò a letto
when I have finished this work, I will go to bed

l'avrà finito entro la settimana prossima
he'll/she'll have finished it by next week

ii) to express a supposition about the present:

l'avrà dimenticato
he/she will have forgotten it

iii) to express probability, likelihood or approximation referring to the past:

a quel tempo mia madre avrà avuto cinquant'anni
at that time my mother will/would have been about fifty

iv) to express a questioning doubt referring to a past action:

dove mai sarà andato Enrico?
where on earth has Enrico gone?

9 PAST ANTERIOR

The past anterior in modern Italian is only used in written language (most commonly in literary Italian). It is used in subordinate clauses introduced by a conjunction of time, when the verb of the main clause is in the *passato remoto* tense:

quando ebbe finito di mangiare, andò a letto
when he/she had finished eating, he/she went to bed

10 PRESENT CONDITIONAL

The present conditional is used:

i) to express a wish or desire:

vorrei mangiare una pizza
I would like to eat a pizza

ii) to express doubt concerning a possible action:

che cosa dovrei fare adesso?
what should I do now?

iii) to express an action, situation or occurrence which is possible given certain conditions:

se avessi i soldi, andrei volentieri in America
if I had the money, I would gladly go to America

iv) to express a sense of surprise or disbelief:

Silvia non farebbe mai una cosa simile!
Silvia would never do such a thing!

v) to express discreetly a personal opinion:

a mio parere, sarebbe una buona idea studiare questi verbi
in my opinion, it would be a good idea to study these verbs

11 PAST CONDITIONAL

The past conditional is used:

i) to express a wish or desire referring to the past:

avrei voluto mangiare una pizza
I would have liked to eat a pizza

ii) to express doubt concerning a past action:

che cosa avrei dovuto fare allora?
what should I have done then?

iii) to express a past action, situation or occurrence which would have been possible given certain conditions:

se avessi avuto i soldi, sarei andato volentieri in Sicilia
if I had had the money, I would gladly have gone to Sicily

iv) to express a sense of surprise or disbelief about a past action:

Giuseppe non avrebbe mai fatto una cosa simile!
Giuseppe would never have done such a thing!

v) to express discreetly a personal opinion about a past action:

a mio parere, sarebbe stata una buona idea studiare questo libro
in my opinion, it would have been a good idea to study/have studied this book

12 IMPERATIVE

The imperative, which exists only in the present, is used to give orders, instructions, make firm suggestions and polite but firm requests, or (in the negative) to prohibit a course of action. It should be noted that the third person singular and plural imperatives, which are based on present subjunctive forms, relate to the polite forms **Lei/lei** and **Loro/loro** respectively.

vieni qua!
come here!

andiamo!
let's go!

vengano pure avanti
please do come forward

stia attento!
be careful!

girate a sinistra
turn left

non fate tanto rumore!
don't make so much noise!

The negative imperative of the second person singular is formed by placing **non** before the infinitive of the verb in question:

non andare oggi, va' domani
don't go today, go tomorrow

13 SUBJUNCTIVE

The subjunctive is principally used to express actions that are uncertain, doubtful, desirable, hoped for, feared, probable (but without guarantee), or hypothetical. It will most often be found in subordinate clauses introduced by a conjunction (this is why the subjunctive is called **congiuntivo** in Italian), but also has certain applications in main clauses. The subjunctive is much more widely used in Italian than in most other Romance languages.

i) in subordinate clauses of purpose:

ho chiamato Giovanni perché mi aiutasse
I called for Giovanni to help me

ii) in subordinate consecutive clauses:

devi parlare piano in modo che tutti possiamo capirti
you must speak slowly so that we can all understand you

iii) in subordinate temporal clauses introduced by **prima che**:

prima che torni tua sorella devi lavare i piatti
before your sister returns you must wash the dishes

iv) in subordinate comparative clauses:

ha recitato meglio di quanto non ci aspettassimo
he/she acted better than we expected

v) in subordinate concessive clauses:

sebbene sia ricco non è affatto felice
although he is rich he is not at all happy

vi) in subordinate conditional clauses:

qualora avessi qualche difficoltà, dimmelo subito
should you have any difficulty, tell me immediately

vii) after verbs of doubting:

dubito che sia vero
I doubt whether it is true

viii) after verbs of fearing:

temo che sia troppo tardi
I am afraid it is too late

ix) after verbs of hoping:

spero che voi arriviate in tempo
I hope that you arrive in time

x) after verbs of wishing/desiring:

voglio che lei ripassi domani
I want her to call by again tomorrow

xi) after verbs of uncertainty:

mi sembra che Francesca torni stasera
as far as I know, Francesca is returning this evening

xii) after verbs expressing good wishes:

mi auguro che il problema passi presto
I hope that the problem passes soon

xiii) after verbs of thinking/believing:

credo che loro abitino in città
I think they live in town

xiv) after relative superlative forms:

è il libro meno interessante che io abbia mai letto
it is the least interesting book I have ever read

xv) after the adjectives primo, ultimo and unico:

è l'unico libro che egli abbia mai comprato
it is the only book he has ever bought

xvi) in a range of indefinite expressions:

chiunque dovesse arrivare, non lo voglio vedere
whoever comes, I don't want to see them

dovunque vada, trova molti amici
wherever he/she goes, he/she makes a lot of friends

xvii) in conditional statements where the condition is unlikely to be fulfilled:

se avessi il tempo, farei una passeggiata
if I had the time, I would go for a walk

xviii) in subordinate clauses following verbs that express emotion:

sono lieto che tu sia tornato a casa!
I am happy that you have come home!

mi dispiace che tu sia malato
I am sorry that you are ill

xix) in impersonal expressions:

è improbabile che io sia a scuola domani
it is unlikely that I will be at school tomorrow

xx) in indirect questions:

tutti si chiedono come si possano imparare tanti verbi
everyone wonders how so many verbs can be learnt

xxi) in clauses with negative antecedents:

non c'è nessuno qui che sappia parlare russo
there's nobody here who can speak Russian

xxii) in independent clauses expressing a wish:

fosse vero!
would that it were true!

viva il re!
long live the king!

xxiii) in independent clauses expressing a command in the polite forms Lei/lei, Loro/loro:

esca subito!
go out immediately!

xxiv) in independent clauses expressing a supposition:

che stia per nevicare?
perhaps it's going to snow?

14 GERUND

The gerund in Italian corresponds most commonly to the *-ing* form of the verb in English.

i) it is used with stare to form the progressive tenses (*see* pp 9-10).

ii) it is used in association with a main verb (when the subject of the two actions is the same person) to express the idea of 'by doing', 'on going' etc:

studiando sodo, impariamo molte cose
by studying hard, we learn a lot

15 PAST PARTICIPLE

The past participle, apart from its use in the formation of compound tenses, is also commonly employed as an adjective:

questa maledetta penna
this damned pen

16 INFINITIVE

The infinitive may be used:

i) in subordinate clauses when the same subject is implied:

credo di conoscere questo signore
I believe I know this gentleman

ii) in imperatives as used in public notices etc:

in caso di emergenza, telefonare al 113
in an emergency, dial 113

non calpestare l'erba
keep off the grass

iii) as a verbal noun taking the masculine gender:

il viaggiare è molto costoso
travelling is very expensive

iv) as a genderless verbal noun:

non mi piace fare la coda
I don't like queuing

v) in many expressions governed by a preposition:

tento di imparare i verbi italiani
I'm trying to learn Italian verbs

17 PASSIVE

The passive is formed by using **essere** plus the past participle of the verb in question. In the passive voice, the subject receives the action of the verb:

il malato è visitato dal medico
the sick man is visited by the doctor

For an example of the full conjugation of a passive verb, see **page 21**.

C AGREEMENT OF THE PAST PARTICIPLE

i) When the auxiliary is **essere**, the past participle agrees in number and gender with the subject:

Simona è partita per Napoli
Simona has left for Naples

i regali sono stati divisi equamente
the presents have been equally divided

ii) When the auxiliary is **avere** and there is a direct object *before* the participle, agreement is optional:

i libri che Nadia ha comprati
i libri che Nadia ha comprato
the books that Nadia bought

iii) When the auxiliary is **avere**, and the direct object is one of the object pronouns **lo**, **la**, **li**, **le** and precedes the verb, the past participle agrees with the direct object:

le banane? – le ho comprate oggi
the bananas? – I bought them today

iv) When the auxiliary is **avere**, and the direct object pronoun is **mi**, **ti**, **ci**, **vi** or **ne** and precedes the verb, agreement with the direct object is optional:

mi dispiace, Silvia, se ti ho disturbata
mi dispiace, Silvia, se ti ho disturbato
I'm sorry if I bothered you, Silvia

ha mangiato della pasta
he/she ate some pasta

ne ha mangiata
ne ha mangiato
he/she ate some of it

If there is another qualifying word in the same sentence showing agreement then the past participle *must* also agree:

ne ha mangiata troppa!
he/she ate too much (of it)!

v) With reflexive verbs the past participle can agree with either the subject or the object:

Lucia si è lavata le mani
Lucia si è lavate le mani
Lucia washed her hands

ESSERE AMATO
to be loved

PRESENT	IMPERFECT	FUTURE
1. sono amato/a	ero amato/a	sarò amato/a
2. sei amato/a	eri amato/a	sarai amato/a
3. è amato/a	era amato/a	sarà amato/a
1. siamo amati/e	eravamo amati/e	saremo amati/e
2. siete amati/e	eravate amati/e	sarete amati/e
3. sono amati/e	erano amati/e	saranno amati/e

PASSATO REMOTO	*PASSATO PROSSIMO*	PLUPERFECT
1. fui amato/a	sono stato/a amato/a	ero stato/a amato/a
2. fosti amato/a	sei stato/a amato/a	eri stato/a amato/a
3. fu amato/a	è stato/a amato/a	era stato/a amato/a
1. fummo amati/e	siamo stati/e amati/e	eravamo stati/e amati/e
2. foste amati/e	siete stati/e amati/e	eravate stati/e amati/e
3. furono amati/e	sono stati/e amati/e	erano stati/e amati/e

PAST ANTERIOR
fui stato/a amato/a *etc*

FUTURE PERFECT
sarò stato/a amato/a *etc*

CONDITIONAL

PRESENT	PAST
1. sarei amato/a	sarei stato/a amato/a
2. saresti amato/a	saresti stato/a amato/a
3. sarebbe amato/a	sarebbe stato/a amato/a
1. saremmo amati/e	saremmo stati/e amati/e
2. sareste amati/e	sareste stati/e amati/e
3. sarebbero amati/e	sarebbero stati/e amati/e

IMPERATIVE

SUBJUNCTIVE

PRESENT	IMPERFECT	PLUPERFECT
1. sia amato/a	fossi amato/a	fossi stato/a amato/a
2. sia amato/a	fossi amato/a	fossi stato/a amato/a
3. sia amato/a	fosse amato/a	fosse stato/a amato/a
1. siamo amati/e	fossimo amati/e	fossimo stati/e amati/e
2. siate amati/e	foste amati/e	foste stati/e amati/e
3. siano amati/e	fossero amati/e	fossero stati/e amati/e

PASSATO PROSSIMO sia stato/a amato/a *etc*

INFINITIVE

PRESENT
esser(e) amato/a/i/e

PAST
esser(e) stato/a/i/e amato/a/i/e

GERUND

essendo amato/a/i/e

PAST PARTICIPLE

essendo stato/a/i/e amato/a/i/e

Notes:

In this book we have used the numbers 1, 2, 3 to indicate the first, second and third persons of the verb. In each verb table the second 1, 2, 3 are the plural forms. It is important to note that, in Italian, the polite forms Lei/lei and Loro/loro – 'you' in the singular and plural, take the *third* person (singular and plural) of the verb.

The stress pattern of Italian verbs often causes difficulty for the learner. One simple guideline to remember is that in the present tense all singular forms are stressed on the stem, in the plural the first and second persons are stressed on the penultimate syllable of the ending, whilst for the third person plural the stress reverts to the stem:

PRESENT
1. r*i*do
2. r*i*di
3. r*i*de
1. ridi*a*mo
2. rid*e*te
3. r*i*dono

Unlike English, Italian does not routinely use subject pronouns with verb forms. This is because in virtually all cases the verb ending (as well as the context) will indicate the subject intended. Where subject pronouns are found in Italian, it is usually for emphasis or particular clarity.

As a convention we have used grave accents on a, i, o and u (giving à, ì, ò and ù) and have differentiated between acute and grave on e (é and è respectively). The use of grave and acute accents remains the subject of continuing academic debate.

ABITARE
1 *to live*

PRESENT	IMPERFECT	FUTURE
1. abito	abitavo	abiterò
2. abiti	abitavi	abiterai
3. abita	abitava	abiterà
1. abitiamo	abitavamo	abiteremo
2. abitate	abitavate	abiterete
3. abitano	abitavano	abiteranno

PASSATO REMOTO	*PASSATO PROSSIMO*	PLUPERFECT
1. abitai	ho abitato	avevo abitato
2. abitasti	hai abitato	avevi abitato
3. abitò	ha abitato	aveva abitato
1. abitammo	abbiamo abitato	avevamo abitato
2. abitaste	avete abitato	avevate abitato
3. abitarono	hanno abitato	avevano abitato

PAST ANTERIOR
ebbi abitato *etc*

FUTURE PERFECT
avrò abitato *etc*

CONDITIONAL

PRESENT	PAST
1. abiterei	avrei abitato
2. abiteresti	avresti abitato
3. abiterebbe	avrebbe abitato
1. abiteremmo	avremmo abitato
2. abitereste	avreste abitato
3. abiterebbero	avrebbero abitato

IMPERATIVE

abita
abiti
abitiamo
abitate
abitino

SUBJUNCTIVE

PRESENT	IMPERFECT	PLUPERFECT
1. abiti	abitassi	avessi abitato
2. abiti	abitassi	avessi abitato
3. abiti	abitasse	avesse abitato
1. abitiamo	abitassimo	avessimo abitato
2. abitiate	abitaste	aveste abitato
3. abitino	abitassero	avessero abitato

PASSATO PROSSIMO abbia abitato *etc*

INFINITIVE

PRESENT
abitare

PAST
aver(e) abitato

GERUND

abitando

PAST PARTICIPLE

abitato

PRESENT	IMPERFECT	FUTURE
1. accendo	accendevo	accenderò
2. accendi	accendevi	accenderai
3. accende	accendeva	accenderà
1. accendiamo	accendevamo	accenderemo
2. accendete	accendevate	accenderete
3. accendono	accendevano	accenderanno

PASSATO REMOTO	*PASSATO PROSSIMO*	PLUPERFECT
1. accesi	ho acceso	avevo acceso
2. accendesti	hai acceso	avevi acceso
3. accese	ha acceso	aveva acceso
1. accendemmo	abbiamo acceso	avevamo acceso
2. accendeste	avete acceso	avevate acceso
3. accesero	hanno acceso	avevano acceso

PAST ANTERIOR		FUTURE PERFECT
ebbi acceso *etc*		avrò acceso *etc*

CONDITIONAL / *IMPERATIVE*

PRESENT	PAST	IMPERATIVE
1. accenderei	avrei acceso	
2. accenderesti	avresti acceso	accendi
3. accenderebbe	avrebbe acceso	accenda
1. accenderemmo	avremmo acceso	accendiamo
2. accendereste	avreste acceso	accendete
3. accenderebbero	avrebbero acceso	accendano

SUBJUNCTIVE

PRESENT	IMPERFECT	PLUPERFECT
1. accenda	accendessi	avessi acceso
2. accenda	accendessi	avessi acceso
3. accenda	accendesse	avesse acceso
1. accendiamo	accendessimo	avessimo acceso
2. accendiate	accendeste	aveste acceso
3. accendano	accendessero	avessero acceso

PASSATO PROSSIMO abbia acceso *etc*

INFINITIVE / *GERUND* / *PAST PARTICIPLE*

INFINITIVE	GERUND	PAST PARTICIPLE
PRESENT	accendendo	acceso
accendere		
PAST		
aver(e) acceso		

ACCETTARE
3 *to accept*

PRESENT	IMPERFECT	FUTURE
1. accetto	accettavo	accetterò
2. accetti	accettavi	accetterai
3. accetta	accettava	accetterà
1. accettiamo	accettavamo	accetteremo
2. accettate	accettavate	accetterete
3. accettano	accettavano	accetteranno

PASSATO REMOTO	*PASSATO PROSSIMO*	PLUPERFECT
1. accettai	ho accettato	avevo accettato
2. accettasti	hai accettato	avevi accettato
3. accettò	ha accettato	aveva accettato
1. accettammo	abbiamo accettato	avevamo accettato
2. accettaste	avete accettato	avevate accettato
3. accettarono	hanno accettato	avevano accettato

PAST ANTERIOR
ebbi accettato *etc*

FUTURE PERFECT
avrò accettato *etc*

CONDITIONAL / *IMPERATIVE*

PRESENT	PAST	IMPERATIVE
1. accetterei	avrei accettato	
2. accetteresti	avresti accettato	accetta
3. accetterebbe	avrebbe accettato	accetti
1. accetteremmo	avremmo accettato	accettiamo
2. accettereste	avreste accettato	accettate
3. accetterebbero	avrebbero accettato	accettino

SUBJUNCTIVE

PRESENT	IMPERFECT	PLUPERFECT
1. accetti	accettassi	avessi accettato
2. accetti	accettassi	avessi accettato
3. accetti	accettasse	avesse accettato
1. accettiamo	accettassimo	avessimo accettato
2. accettiate	accettaste	aveste accettato
3. accettino	accettassero	avessero accettato

PASSATO PROSSIMO abbia accettato *etc*

INFINITIVE / *GERUND* / *PAST PARTICIPLE*

PRESENT
accettare

PAST
aver(e) accettato

GERUND
accettando

PAST PARTICIPLE
accettato

PRESENT	IMPERFECT	FUTURE
1. accompagno	accompagnavo	accompagnerò
2. accompagni	accompagnavi	accompagnerai
3. accompagna	accompagnava	accompagnerà
1. accompagniamo	accompagnavamo	accompagneremo
2. accompagnate	accompagnavate	accompagnerete
3. accompagnano	accompagnavano	accompagneranno
PASSATO REMOTO	***PASSATO PROSSIMO***	**PLUPERFECT**
1. accompagnai	ho accompagnato	avevo accompagnato
2. accompagnasti	hai accompagnato	avevi accompagnato
3. accompagnò	ha accompagnato	aveva accompagnato
1. accompagnammo	abbiamo accompagnato	avevamo accompagnato
2. accompagnaste	avete accompagnato	avevate accompagnato
3. accompagnarono	hanno accompagnato	avevano accompagnato
PAST ANTERIOR		**FUTURE PERFECT**
ebbi accompagnato *etc*		avrò accompagnato *etc*

CONDITIONAL / *IMPERATIVE*

PRESENT	PAST	IMPERATIVE
1. accompagnerei	avrei accompagnato	
2. accompagneresti	avresti accompagnato	accompagna
3. accompagnerebbe	avrebbe accompagnato	accompagni
1. accompagneremmo	avremmo accompagnato	accompagniamo
2. accompagnereste	avreste accompagnato	accompagnate
3. accompagnerebbero	avrebbero accompagnato	accompagnino

SUBJUNCTIVE

PRESENT	IMPERFECT	PLUPERFECT
1. accompagni	accompagnassi	avessi accompagnato
2. accompagni	accompagnassi	avessi accompagnato
3. accompagni	accompagnasse	avesse accompagnato
1. accompagniamo	accompagnassimo	avessimo accompagnato
2. accompagniate	accompagnaste	aveste accompagnato
3. accompagnino	accompagnassero	avessero accompagnato

PASSATO PROSSIMO abbia accompagnato *etc*

INFINITIVE / *GERUND* / *PAST PARTICIPLE*

PRESENT
accompagnare

PAST
aver(e) accompagnato

GERUND: accompagnando

PAST PARTICIPLE: accompagnato

ACCORGERSI

5 *to notice; to realise, to become aware of*

PRESENT	IMPERFECT	FUTURE
1. mi accorgo	mi accorgevo	mi accorgerò
2. ti accorgi	ti accorgevi	ti accorgerai
3. si accorge	si accorgeva	si accorgerà
1. ci accorgiamo	ci accorgevamo	ci accorgeremo
2. vi accorgete	vi accorgevate	vi accorgerete
3. si accorgono	si accorgevano	si accorgeranno
PASSATO REMOTO	***PASSATO PROSSIMO***	**PLUPERFECT**
1. mi accorsi	mi sono accorto/a	mi ero accorto/a
2. ti accorgesti	ti sei accorto/a	ti eri accorto/a
3. si accorse	si è accorto/a	si era accorto/a
1. ci accorgemmo	ci siamo accorti/e	ci eravamo accorti/e
2. vi accorgeste	vi siete accorti/e	vi eravate accorti/e
3. si accorsero	si sono accorti/e	si erano accorti/e
PAST ANTERIOR		**FUTURE PERFECT**
mi fui accorto/a *etc*		mi sarò accorto/a *etc*

CONDITIONAL / IMPERATIVE

PRESENT	PAST	IMPERATIVE
1. mi accorgerei	mi sarei accorto/a	
2. ti accorgeresti	ti saresti accorto/a	accorgiti
3. si accorgerebbe	si sarebbe accorto/a	si accorga
1. ci accorgeremmo	ci saremmo accorti/e	accorgiamoci
2. vi accorgereste	vi sareste accorti/e	accorgetevi
3. si accorgerebbero	si sarebbero accorti/e	si accorgano

SUBJUNCTIVE

PRESENT	IMPERFECT	PLUPERFECT
1. mi accorga	mi accorgessi	mi fossi accorto/a
2. ti accorga	ti accorgessi	ti fossi accorto/a
3. si accorga	si accorgesse	si fosse accorto/a
1. ci accorgiamo	ci accorgessimo	ci fossimo accorti/e
2. vi accorgiate	vi accorgeste	vi foste accorti/e
3. si accorgano	si accorgessero	si fossero accorti/e
PASSATO PROSSIMO	mi sia accorto/a *etc*	

INFINITIVE	GERUND	PAST PARTICIPLE
PRESENT	accorgendomi *etc*	accorto/a/i/e
accorgersi		
PAST		
essersi accorto/a/i/e		

PRESENT	IMPERFECT	FUTURE
1. accuso	accusavo	accuserò
2. accusi	accusavi	accuserai
3. accusa	accusava	accuserà
1. accusiamo	accusavamo	accuseremo
2. accusate	accusavate	accuserete
3. accusano	accusavano	accuseranno
PASSATO REMOTO	***PASSATO PROSSIMO***	**PLUPERFECT**
1. accusai	ho accusato	avevo accusato
2. accusasti	hai accusato	avevi accusato
3. accusò	ha accusato	aveva accusato
1. accusammo	abbiamo accusato	avevamo accusato
2. accusaste	avete accusato	avevate accusato
3. accusarono	hanno accusato	avevano accusato
PAST ANTERIOR		**FUTURE PERFECT**
ebbi accusato *etc*		avrò accusato *etc*

CONDITIONAL / *IMPERATIVE*

PRESENT	PAST	IMPERATIVE
1. accuserei	avrei accusato	
2. accuseresti	avresti accusato	accusa
3. accuserebbe	avrebbe accusato	accusi
1. accuseremmo	avremmo accusato	accusiamo
2. accusereste	avreste accusato	accusate
3. accuserebbero	avrebbero accusato	accusino

SUBJUNCTIVE

PRESENT	IMPERFECT	PLUPERFECT
1. accusi	accusassi	avessi accusato
2. accusi	accusassi	avessi accusato
3. accusi	accusasse	avesse accusato
1. accusiamo	accusassimo	avessimo accusato
2. accusiate	accusaste	aveste accusato
3. accusino	accusassero	avessero accusato

PASSATO PROSSIMO abbia accusato *etc*

INFINITIVE / *GERUND* / *PAST PARTICIPLE*

INFINITIVE	GERUND	PAST PARTICIPLE
PRESENT	accusando	accusato
accusare		
PAST		
aver(e) accusato		

ACQUISTARE
7 to buy; to acquire, to gain

PRESENT	IMPERFECT	FUTURE
1. acquisto	acquistavo	acquisterò
2. acquisti	acquistavi	acquisterai
3. acquista	acquistava	acquisterà
1. acquistiamo	acquistavamo	acquisteremo
2. acquistate	acquistavate	acquisterete
3. acquistano	acquistavano	acquisteranno
PASSATO REMOTO	***PASSATO PROSSIMO***	**PLUPERFECT**
1. acquistai	ho acquistato	avevo acquistato
2. acquistasti	hai acquistato	avevi acquistato
3. acquistò	ha acquistato	aveva acquistato
1. acquistammo	abbiamo acquistato	avevamo acquistato
2. acquistaste	avete acquistato	avevate acquistato
3. acquistarono	hanno acquistato	avevano acquistato
PAST ANTERIOR		**FUTURE PERFECT**
ebbi acquistato *etc*		avrò acquistato *etc*

CONDITIONAL / *IMPERATIVE*

PRESENT	PAST	IMPERATIVE
1. acquisterei	avrei acquistato	
2. acquisteresti	avresti acquistato	acquista
3. acquisterebbe	avrebbe acquistato	acquisti
1. acquisteremmo	avremmo acquistato	acquistiamo
2. acquistereste	avreste acquistato	acquistate
3. acquisterebbero	avrebbero acquistato	acquistino

SUBJUNCTIVE

PRESENT	IMPERFECT	PLUPERFECT
1. acquisti	acquistassi	avessi acquistato
2. acquisti	acquistassi	avessi acquistato
3. acquisti	acquistasse	avesse acquistato
1. acquistiamo	acquistassimo	avessimo acquistato
2. acquistiate	acquistaste	aveste acquistato
3. acquistino	acquistassero	avessero acquistato

PASSATO PROSSIMO abbia acquistato *etc*

INFINITIVE	*GERUND*	*PAST PARTICIPLE*
PRESENT	acquistando	acquistato
acquistare		
PAST		
aver(e) acquistato		

PRESENT	IMPERFECT	FUTURE
1. affiggo	affiggevo	affiggerò
2. affiggi	affiggevi	affiggerai
3. affigge	affiggeva	affiggerà
1. affiggiamo	affiggevamo	affiggeremo
2. affiggete	affiggevate	affiggerete
3. affiggono	affiggevano	affiggeranno
PASSATO REMOTO	***PASSATO PROSSIMO***	**PLUPERFECT**
1. affissi	ho affisso	avevo affisso
2. affiggesti	hai affisso	avevi affisso
3. affisse	ha affisso	aveva affisso
1. affiggemmo	abbiamo affisso	avevamo affisso
2. affiggeste	avete affisso	avevate affisso
3. affissero	hanno affisso	avevano affisso
PAST ANTERIOR		**FUTURE PERFECT**
ebbi affisso *etc*		avrò affisso *etc*

CONDITIONAL / *IMPERATIVE*

PRESENT	PAST	IMPERATIVE
1. affiggerei	avrei affisso	
2. affiggeresti	avresti affisso	affiggi
3. affiggerebbe	avrebbe affisso	affigga
1. affiggeremmo	avremmo affisso	affiggiamo
2. affiggereste	avreste affisso	affiggete
3. affiggerebbero	avrebbero affisso	affiggano

SUBJUNCTIVE

PRESENT	IMPERFECT	PLUPERFECT
1. affigga	affiggessi	avessi affisso
2. affigga	affiggessi	avessi affisso
3. affigga	affiggesse	avesse affisso
1. affiggiamo	affiggessimo	avessimo affisso
2. affiggiate	affiggeste	aveste affisso
3. affiggano	affiggessero	avessero affisso

PASSATO PROSSIMO abbia affisso *etc*

INFINITIVE	*GERUND*	*PAST PARTICIPLE*
PRESENT	affiggendo	affisso
affiggere		
PAST		
aver(e) affisso		

AFFITTARE

9 *to rent*

PRESENT	IMPERFECT	FUTURE
1. affitto	affittavo	affitterò
2. affitti	affittavi	affitterai
3. affitta	affittava	affitterà
1. affittiamo	affittavamo	affitteremo
2. affittate	affittavate	affitterete
3. affittano	affittavano	affitteranno

PASSATO REMOTO	*PASSATO PROSSIMO*	PLUPERFECT
1. affittai	ho affittato	avevo affittato
2. affittasti	hai affittato	avevi affittato
3. affittò	ha affittato	aveva affittato
1. affittammo	abbiamo affittato	avevamo affittato
2. affittaste	avete affittato	avevate affittato
3. affittarono	hanno affittato	avevano affittato

PAST ANTERIOR
ebbi affittato *etc*

FUTURE PERFECT
avrò affittato *etc*

CONDITIONAL

PRESENT	PAST
1. affitterei	avrei affittato
2. affitteresti	avresti affittato
3. affitterebbe	avrebbe affittato
1. affitteremmo	avremmo affittato
2. affittereste	avreste affittato
3. affitterebbero	avrebbero affittato

IMPERATIVE

affitta
affitti
affittiamo
affittate
affittino

SUBJUNCTIVE

PRESENT	IMPERFECT	PLUPERFECT
1. affitti	affittassi	avessi affittato
2. affitti	affittassi	avessi affittato
3. affitti	affittasse	avesse affittato
1. affittiamo	affittassimo	avessimo affittato
2. affittiate	affittaste	aveste affittato
3. affittino	affittassero	avessero affittato

PASSATO PROSSIMO abbia affittato *etc*

INFINITIVE

PRESENT
affittare

PAST
aver(e) affittato

GERUND

affittando

PAST PARTICIPLE

affittato

PRESENT	IMPERFECT	FUTURE
1. affliggo	affliggevo	affliggerò
2. affliggi	affliggevi	affliggerai
3. affligge	affliggeva	affliggerà
1. affliggiamo	affliggevamo	affliggeremo
2. affliggete	affliggevate	affliggerete
3. affliggono	affliggevano	affliggeranno
PASSATO REMOTO	***PASSATO PROSSIMO***	**PLUPERFECT**
1. afflissi	ho afflitto	avevo afflitto
2. affliggesti	hai afflitto	avevi afflitto
3. afflisse	ha afflitto	aveva afflitto
1. affliggemmo	abbiamo afflitto	avevamo afflitto
2. affliggeste	avete afflitto	avevate afflitto
3. afflissero	hanno afflitto	avevano afflitto
PAST ANTERIOR		**FUTURE PERFECT**
ebbi afflitto *etc*		avrò afflitto *etc*

CONDITIONAL / *IMPERATIVE*

PRESENT	PAST	IMPERATIVE
1. affliggerei	avrei afflitto	
2. affliggeresti	avresti afflitto	affliggi
3. affliggerebbe	avrebbe afflitto	affligga
1. affliggeremmo	avremmo afflitto	affliggiamo
2. affliggereste	avreste afflitto	affliggete
3. affliggerebbero	avrebbero afflitto	affliggano

SUBJUNCTIVE

PRESENT	IMPERFECT	PLUPERFECT
1. affligga	affliggessi	avessi afflitto
2. affligga	affliggessi	avessi afflitto
3. affligga	affliggesse	avesse afflitto
1. affliggiamo	affliggessimo	avessimo afflitto
2. affliggiate	affliggeste	aveste afflitto
3. affliggano	affliggessero	avessero afflitto

PASSATO PROSSIMO abbia afflitto *etc*

INFINITIVE	*GERUND*	*PAST PARTICIPLE*
PRESENT	affliggendo	afflitto
affliggere		
PAST		
aver(e) afflitto		

AGIRE
11 *to act*

PRESENT	IMPERFECT	FUTURE
1. agisco	agivo	agirò
2. agisci	agivi	agirai
3. agisce	agiva	agirà
1. agiamo	agivamo	agiremo
2. agite	agivate	agirete
3. agiscono	agivano	agiranno
PASSATO REMOTO	***PASSATO PROSSIMO***	**PLUPERFECT**
1. agii	ho agito	avevo agito
2. agisti	hai agito	avevi agito
3. agì	ha agito	aveva agito
1. agimmo	abbiamo agito	avevamo agito
2. agiste	avete agito	avevate agito
3. agirono	hanno agito	avevano agito
PAST ANTERIOR		**FUTURE PERFECT**
ebbi agito *etc*		avrò agito *etc*

CONDITIONAL / *IMPERATIVE*

PRESENT	PAST	IMPERATIVE
1. agirei	avrei agito	
2. agiresti	avresti agito	agisci
3. agirebbe	avrebbe agito	agisca
1. agiremmo	avremmo agito	agiamo
2. agireste	avreste agito	agite
3. agirebbero	avrebbero agito	agiscano

SUBJUNCTIVE

PRESENT	IMPERFECT	PLUPERFECT
1. agisca	agissi	avessi agito
2. agisca	agissi	avessi agito
3. agisca	agisse	avesse agito
1. agiamo	agissimo	avessimo agito
2. agiate	agiste	aveste agito
3. agiscano	agissero	avessero agito

PASSATO PROSSIMO abbia agito *etc*

INFINITIVE	*GERUND*	*PAST PARTICIPLE*
PRESENT	agendo	agito
agire		
PAST		
aver(e) agito		

PRESENT	IMPERFECT	FUTURE
1. aiuto	aiutavo	aiuterò
2. aiuti	aiutavi	aiuterai
3. aiuta	aiutava	aiuterà
1. aiutiamo	aiutavamo	aiuteremo
2. aiutate	aiutavate	aiuterete
3. aiutano	aiutavano	aiuteranno
PASSATO REMOTO	***PASSATO PROSSIMO***	**PLUPERFECT**
1. aiutai	ho aiutato	avevo aiutato
2. aiutasti	hai aiutato	avevi aiutato
3. aiutò	ha aiutato	aveva aiutato
1. aiutammo	abbiamo aiutato	avevamo aiutato
2. aiutaste	avete aiutato	avevate aiutato
3. aiutarono	hanno aiutato	avevano aiutato
PAST ANTERIOR		**FUTURE PERFECT**
ebbi aiutato *etc*		avrò aiutato *etc*

CONDITIONAL		*IMPERATIVE*
PRESENT	**PAST**	
1. aiuterei	avrei aiutato	
2. aiuteresti	avresti aiutato	aiuta
3. aiuterebbe	avrebbe aiutato	aiuti
1. aiuteremmo	avremmo aiutato	aiutiamo
2. aiutereste	avreste aiutato	aiutate
3. aiuterebbero	avrebbero aiutato	aiutino

SUBJUNCTIVE		
PRESENT	**IMPERFECT**	**PLUPERFECT**
1. aiuti	aiutassi	avessi aiutato
2. aiuti	aiutassi	avessi aiutato
3. aiuti	aiutasse	avesse aiutato
1. aiutiamo	aiutassimo	avessimo aiutato
2. aiutiate	aiutaste	aveste aiutato
3. aiutino	aiutassero	avessero aiutato
PASSATO PROSSIMO	abbia aiutato *etc*	

INFINITIVE	*GERUND*	*PAST PARTICIPLE*
PRESENT	aiutando	aiutato
aiutare		
PAST		
aver(e) aiutato		

ALZARSI
13 *to rise, to get up*

PRESENT	IMPERFECT	FUTURE
1. mi alzo	mi alzavo	mi alzerò
2. ti alzi	ti alzavi	ti alzerai
3. si alza	si alzava	si alzerà
1. ci alziamo	ci alzavamo	ci alzeremo
2. vi alzate	vi alzavate	vi alzerete
3. si alzano	si alzavano	si alzeranno

PASSATO REMOTO	*PASSATO PROSSIMO*	PLUPERFECT
1. mi alzai	mi sono alzato/a	mi ero alzato/a
2. ti alzasti	ti sei alzato/a	ti eri alzato/a
3. si alzò	si è alzato/a	si era alzato/a
1. ci alzammo	ci siamo alzati/e	ci eravamo alzati/e
2. vi alzaste	vi siete alzati/e	vi eravate alzati/e
3. si alzarono	si sono alzati/e	si erano alzati/e

PAST ANTERIOR		FUTURE PERFECT
mi fui alzato/a *etc*		mi sarò alzato/a *etc*

CONDITIONAL / *IMPERATIVE*

PRESENT	PAST	IMPERATIVE
1. mi alzerei	mi sarei alzato/a	
2. ti alzeresti	ti saresti alzato/a	alzati
3. si alzerebbe	si sarebbe alzato/a	si alzi
1. ci alzeremmo	ci saremmo alzati/e	alziamoci
2. vi alzereste	vi sareste alzati/e	alzatevi
3. si alzerebbero	si sarebbero alzati/e	si alzino

SUBJUNCTIVE

PRESENT	IMPERFECT	PLUPERFECT
1. mi alzi	mi alzassi	mi fossi alzato/a
2. ti alzi	ti alzassi	ti fossi alzato/a
3. si alzi	si alzasse	si fosse alzato/a
1. ci alziamo	ci alzassimo	ci fossimo alzati/e
2. vi alziate	vi alzaste	vi foste alzati/e
3. si alzino	si alzassero	si fossero alzati/e

PASSATO PROSSIMO mi sia alzato/a *etc*

INFINITIVE	*GERUND*	*PAST PARTICIPLE*
PRESENT	alzandomi *etc*	alzato/a/i/e
alzarsi		
PAST		
essersi alzato/a/i/e		

PRESENT	IMPERFECT	FUTURE
1. amo	amavo	amerò
2. ami	amavi	amerai
3. ama	amava	amerà
1. amiamo	amavamo	ameremo
2. amate	amavate	amerete
3. amano	amavano	ameranno

PASSATO REMOTO	*PASSATO PROSSIMO*	PLUPERFECT
1. amai	ho amato	avevo amato
2. amasti	hai amato	avevi amato
3. amò	ha amato	aveva amato
1. amammo	abbiamo amato	avevamo amato
2. amaste	avete amato	avevate amato
3. amarono	hanno amato	avevano amato

PAST ANTERIOR		FUTURE PERFECT
ebbi amato *etc*		avrò amato *etc*

CONDITIONAL / IMPERATIVE

PRESENT	PAST	IMPERATIVE
1. amerei	avrei amato	
2. ameresti	avresti amato	ama
3. amerebbe	avrebbe amato	ami
1. ameremmo	avremmo amato	amiamo
2. amereste	avreste amato	amate
3. amerebbero	avrebbero amato	amino

SUBJUNCTIVE

PRESENT	IMPERFECT	PLUPERFECT
1. ami	amassi	avessi amato
2. ami	amassi	avessi amato
3. ami	amasse	avesse amato
1. amiamo	amassimo	avessimo amato
2. amiate	amaste	aveste amato
3. amino	amassero	avessero amato

PASSATO PROSSIMO abbia amato *etc*

INFINITIVE	*GERUND*	*PAST PARTICIPLE*
PRESENT	amando	amato
amare		
PAST		
aver(e) amato		

ANDARE
15 *to go*

PRESENT	IMPERFECT	FUTURE
1. vado	andavo	andrò
2. vai	andavi	andrai
3. va	andava	andrà
1. andiamo	andavamo	andremo
2. andate	andavate	andrete
3. vanno	andavano	andranno
PASSATO REMOTO	***PASSATO PROSSIMO***	**PLUPERFECT**
1. andai	sono andato/a	ero andato/a
2. andasti	sei andato/a	eri andato/a
3. andò	è andato/a	era andato/a
1. andammo	siamo andati/e	eravamo andati/e
2. andaste	siete andati/e	eravate andati/e
3. andarono	sono andati/e	erano andati/e
PAST ANTERIOR		**FUTURE PERFECT**
fui andato/a *etc*		sarò andato/a *etc*

CONDITIONAL		*IMPERATIVE*
PRESENT	**PAST**	
1. andrei	sarei andato/a	
2. andresti	saresti andato/a	va/vai/va'
3. andrebbe	sarebbe andato/a	vada
1. andremmo	saremmo andati/e	andiamo
2. andreste	sareste andati/e	andate
3. andrebbero	sarebbero andati/e	vadano

SUBJUNCTIVE

PRESENT	IMPERFECT	PLUPERFECT
1. vada	andassi	fossi andato/a
2. vada	andassi	fossi andato/a
3. vada	andasse	fosse andato/a
1. andiamo	andassimo	fossimo andati/e
2. andiate	andaste	foste andati/e
3. vadano	andassero	fossero andati/e

PASSATO PROSSIMO sia andato/a *etc*

INFINITIVE	*GERUND*	*PAST PARTICIPLE*
PRESENT	andando	andato/a/i/e
andare		
PAST		
esser(e) andato/a/i/e		

PRESENT	IMPERFECT	FUTURE
1. annetto	annettevo	annetterò
2. annetti	annettevi	annetterai
3. annette	annetteva	annetterà
1. annettiamo	annettevamo	annetteremo
2. annettete	annettevate	annetterete
3. annettono	annettevano	annetteranno

PASSATO REMOTO	*PASSATO PROSSIMO*	PLUPERFECT
1. annettei/annessi	ho annesso	avevo annesso
2. annettesti	hai annesso	avevi annesso
3. annetté/annesse	ha annesso	aveva annesso
1. annettemmo	abbiamo annesso	avevamo annesso
2. annetteste	avete annesso	avevate annesso
3. annetterono/annessero	hanno annesso	avevano annesso

PAST ANTERIOR
ebbi annesso *etc*

FUTURE PERFECT
avrò annesso *etc*

CONDITIONAL / *IMPERATIVE*

PRESENT	PAST	IMPERATIVE
1. annetterei	avrei annesso	
2. annetteresti	avresti annesso	annetti
3. annetterebbe	avrebbe annesso	annetta
1. annetteremmo	avremmo annesso	annettiamo
2. annettereste	avreste annesso	annettete
3. annetterebbero	avrebbero annesso	annettano

SUBJUNCTIVE

PRESENT	IMPERFECT	PLUPERFECT
1. annetta	annettessi	avessi annesso
2. annetta	annettessi	avessi annesso
3. annetta	annettesse	avesse annesso
1. annettiamo	annettessimo	avessimo annesso
2. annettiate	annetteste	aveste annesso
3. annettano	annettessero	avessero annesso

PASSATO PROSSIMO abbia annesso *etc*

INFINITIVE / *GERUND* / *PAST PARTICIPLE*

PRESENT
annettere

PAST
aver(e) annesso

GERUND: annettendo

PAST PARTICIPLE: annesso

APPENDERE
17 *to hang*

PRESENT	IMPERFECT	FUTURE
1. appendo	appendevo	appenderò
2. appendi	appendevi	appenderai
3. appende	appendeva	appenderà
1. appendiamo	appendevamo	appenderemo
2. appendete	appendevate	appenderete
3. appendono	appendevano	appenderanno
PASSATO REMOTO	***PASSATO PROSSIMO***	**PLUPERFECT**
1. appesi	ho appeso	avevo appeso
2. appendesti	hai appeso	avevi appeso
3. appese	ha appeso	aveva appeso
1. appendemmo	abbiamo appeso	avevamo appeso
2. appendeste	avete appeso	avevate appeso
3. appesero	hanno appeso	avevano appeso
PAST ANTERIOR		**FUTURE PERFECT**
ebbi appeso *etc*		avrò appeso *etc*

CONDITIONAL / *IMPERATIVE*

PRESENT	PAST	IMPERATIVE
1. appenderei	avrei appeso	
2. appenderesti	avresti appeso	appendi
3. appenderebbe	avrebbe appeso	appenda
1. appenderemmo	avremmo appeso	appendiamo
2. appendereste	avreste appeso	appendete
3. appenderebbero	avrebbero appeso	appendano

SUBJUNCTIVE

PRESENT	IMPERFECT	PLUPERFECT
1. appenda	appendessi	avessi appeso
2. appenda	appendessi	avessi appeso
3. appenda	appendesse	avesse appeso
1. appendiamo	appendessimo	avessimo appeso
2. appendiate	appendeste	aveste appeso
3. appendano	appendessero	avessero appeso

PASSATO PROSSIMO abbia appeso *etc*

INFINITIVE	*GERUND*	*PAST PARTICIPLE*
PRESENT	appendendo	appeso
appendere		
PAST		
aver(e) appeso		

PRESENT	IMPERFECT	FUTURE
1. apro	aprivo	aprirò
2. apri	aprivi	aprirai
3. apre	apriva	aprirà
1. apriamo	aprivamo	apriremo
2. aprite	aprivate	aprirete
3. aprono	aprivano	apriranno

PASSATO REMOTO	*PASSATO PROSSIMO*	PLUPERFECT
1. aprii[1]	ho aperto	avevo aperto
2. apristi	hai aperto	avevi aperto
3. aprì	ha aperto	aveva aperto
1. aprimmo	abbiamo aperto	avevamo aperto
2. apriste	avete aperto	avevate aperto
3. aprirono	hanno aperto	avevano aperto

PAST ANTERIOR
ebbi aperto *etc*

FUTURE PERFECT
avrò aperto *etc*

CONDITIONAL

PRESENT	PAST
1. aprirei	avrei aperto
2. apriresti	avresti aperto
3. aprirebbe	avrebbe aperto
1. apriremmo	avremmo aperto
2. aprireste	avreste aperto
3. aprirebbero	avrebbero aperto

IMPERATIVE

apri
apra
apriamo
aprite
aprano

SUBJUNCTIVE

PRESENT	IMPERFECT	PLUPERFECT
1. apra	aprissi	avessi aperto
2. apra	aprissi	avessi aperto
3. apra	aprisse	avesse aperto
1. apriamo	aprissimo	avessimo aperto
2. apriate	apriste	aveste aperto
3. aprano	aprissero	avessero aperto

PASSATO PROSSIMO abbia aperto *etc*

INFINITIVE

PRESENT
aprire

PAST
aver(e) aperto

GERUND

aprendo

PAST PARTICIPLE

aperto

[1]Note that the variant **apersi** is also possible.

ARDERE
19 *to burn*

PRESENT	**IMPERFECT**	**FUTURE**
1. ardo	ardevo	arderò
2. ardi	ardevi	arderai
3. arde	ardeva	arderà
1. ardiamo	ardevamo	arderemo
2. ardete	ardevate	arderete
3. ardono	ardevano	arderanno
PASSATO REMOTO	***PASSATO PROSSIMO***	**PLUPERFECT**
1. arsi	ho arso	avevo arso
2. ardesti	hai arso	avevi arso
3. arse	ha arso	aveva arso
1. ardemmo	abbiamo arso	avevamo arso
2. ardeste	avete arso	avevate arso
3. arsero	hanno arso	avevano arso
PAST ANTERIOR		**FUTURE PERFECT**
ebbi arso *etc*		avrò arso *etc*

CONDITIONAL / *IMPERATIVE*

PRESENT	**PAST**	
1. arderei	avrei arso	
2. arderesti	avresti arso	ardi
3. arderebbe	avrebbe arso	arda
1. arderemmo	avremmo arso	ardiamo
2. ardereste	avreste arso	ardete
3. arderebbero	avrebbero arso	ardano

SUBJUNCTIVE

PRESENT	**IMPERFECT**	**PLUPERFECT**
1. arda	ardessi	avessi arso
2. arda	ardessi	avessi arso
3. arda	ardesse	avesse arso
1. ardiamo	ardessimo	avessimo arso
2. ardiate	ardeste	aveste arso
3. ardano	ardessero	avessero arso

PASSATO PROSSIMO abbia arso *etc*

INFINITIVE	*GERUND*	*PAST PARTICIPLE*
PRESENT	ardendo	arso
ardere		
PAST		
aver(e) arso		

Note that with a direct object ardere takes the auxiliary **avere**; when used without a direct object the auxiliary may be either **avere** or **essere.**

PRESENT	IMPERFECT	FUTURE
1. asciugo	asciugavo	asciugherò
2. asciughi	asciugavi	asciugherai
3. asciuga	asciugava	asciugherà
1. asciughiamo	asciugavamo	asciugheremo
2. asciugate	asciugavate	asciugherete
3. asciugano	asciugavano	asciugheranno
PASSATO REMOTO	***PASSATO PROSSIMO***	**PLUPERFECT**
1. asciugai	ho asciugato	avevo asciugato
2. asciugasti	hai asciugato	avevi asciugato
3. asciugò	ha asciugato	aveva asciugato
1. asciugammo	abbiamo asciugato	avevamo asciugato
2. asciugaste	avete asciugato	avevate asciugato
3. asciugarono	hanno asciugato	avevano asciugato
PAST ANTERIOR		**FUTURE PERFECT**
ebbi asciugato *etc*		avrò asciugato *etc*

CONDITIONAL / *IMPERATIVE*

PRESENT	PAST	IMPERATIVE
1. asciugherei	avrei asciugato	
2. asciugheresti	avresti asciugato	asciuga
3. asciugherebbe	avrebbe asciugato	asciughi
1. asciugheremmo	avremmo asciugato	asciughiamo
2. asciughereste	avreste asciugato	asciugate
3. asciugherebbero	avrebbero asciugato	asciughino

SUBJUNCTIVE

PRESENT	IMPERFECT	PLUPERFECT
1. asciughi	asciugassi	avessi asciugato
2. asciughi	asciugassi	avessi asciugato
3. asciughi	asciugasse	avesse asciugato
1. asciughiamo	asciugassimo	avessimo asciugato
2. asciughiate	asciugaste	aveste asciugato
3. asciughino	asciugassero	avessero asciugato

PASSATO PROSSIMO abbia asciugato *etc*

INFINITIVE / *GERUND* / *PAST PARTICIPLE*

INFINITIVE	GERUND	PAST PARTICIPLE
PRESENT	asciugando	asciugato
asciugare		
PAST		
aver(e) asciugato		

ASCOLTARE
21 *to listen to*

PRESENT	**IMPERFECT**	**FUTURE**
1. ascolto	ascoltavo	ascolterò
2. ascolti	ascoltavi	ascolterai
3. ascolta	ascoltava	ascolterà
1. ascoltiamo	ascoltavamo	ascolteremo
2. ascoltate	ascoltavate	ascolterete
3. ascoltano	ascoltavano	ascolteranno
PASSATO REMOTO	***PASSATO PROSSIMO***	**PLUPERFECT**
1. ascoltai	ho ascoltato	avevo ascoltato
2. ascoltasti	hai ascoltato	avevi ascoltato
3. ascoltò	ha ascoltato	aveva ascoltato
1. ascoltammo	abbiamo ascoltato	avevamo ascoltato
2. ascoltaste	avete ascoltato	avevate ascoltato
3. ascoltarono	hanno ascoltato	avevano ascoltato
PAST ANTERIOR		**FUTURE PERFECT**
ebbi ascoltato *etc*		avrò ascoltato *etc*

CONDITIONAL / *IMPERATIVE*

PRESENT	**PAST**	
1. ascolterei	avrei ascoltato	
2. ascolteresti	avresti ascoltato	ascolta
3. ascolterebbe	avrebbe ascoltato	ascolti
1. ascolteremmo	avremmo ascoltato	ascoltiamo
2. ascoltereste	avreste ascoltato	ascoltate
3. ascolterebbero	avrebbero ascoltato	ascoltino

SUBJUNCTIVE

PRESENT	**IMPERFECT**	**PLUPERFECT**
1. ascolti	ascoltassi	avessi ascoltato
2. ascolti	ascoltassi	avessi ascoltato
3. ascolti	ascoltasse	avesse ascoltato
1. ascoltiamo	ascoltassimo	avessimo ascoltato
2. ascoltiate	ascoltaste	aveste ascoltato
3. ascoltino	ascoltassero	avessero ascoltato

PASSATO PROSSIMO abbia ascoltato *etc*

INFINITIVE	*GERUND*	*PAST PARTICIPLE*
PRESENT	ascoltando	ascoltato
ascoltare		
PAST		
aver(e) ascoltato		

PRESENT	IMPERFECT	FUTURE
1. aspetto	aspettavo	aspetterò
2. aspetti	aspettavi	aspetterai
3. aspetta	aspettava	aspetterà
1. aspettiamo	aspettavamo	aspetteremo
2. aspettate	aspettavate	aspetterete
3. aspettano	aspettavano	aspetteranno

PASSATO REMOTO	*PASSATO PROSSIMO*	PLUPERFECT
1. aspettai	ho aspettato	avevo aspettato
2. aspettasti	hai aspettato	avevi aspettato
3. aspettò	ha aspettato	aveva aspettato
1. aspettammo	abbiamo aspettato	avevamo aspettato
2. aspettaste	avete aspettato	avevate aspettato
3. aspettarono	hanno aspettato	avevano aspettato

PAST ANTERIOR		FUTURE PERFECT
ebbi aspettato *etc*		avrò aspettato *etc*

CONDITIONAL / *IMPERATIVE*

PRESENT	PAST	
1. aspetterei	avrei aspettato	
2. aspetteresti	avresti aspettato	aspetta
3. aspetterebbe	avrebbe aspettato	aspetti
1. aspetteremmo	avremmo aspettato	aspettiamo
2. aspettereste	avreste aspettato	aspettate
3. aspetterebbero	avrebbero aspettato	aspettino

SUBJUNCTIVE

PRESENT	IMPERFECT	PLUPERFECT
1. aspetti	aspettassi	avessi aspettato
2. aspetti	aspettassi	avessi aspettato
3. aspetti	aspettasse	avesse aspettato
1. aspettiamo	aspettassimo	avessimo aspettato
2. aspettiate	aspettaste	aveste aspettato
3. aspettino	aspettassero	avessero aspettato

PASSATO PROSSIMO abbia aspettato *etc*

INFINITIVE	*GERUND*	*PAST PARTICIPLE*
PRESENT	aspettando	aspettato
aspettare		
PAST		
aver(e) aspettato		

ASSUMERE

23 *to assume*

PRESENT	IMPERFECT	FUTURE
1. assumo	assumevo	assumerò
2. assumi	assumevi	assumerai
3. assume	assumeva	assumerà
1. assumiamo	assumevamo	assumeremo
2. assumete	assumevate	assumerete
3. assumono	assumevano	assumeranno
PASSATO REMOTO	***PASSATO PROSSIMO***	**PLUPERFECT**
1. assunsi	ho assunto	avevo assunto
2. assumesti	hai assunto	avevi assunto
3. assunse	ha assunto	aveva assunto
1. assumemmo	abbiamo assunto	avevamo assunto
2. assumeste	avete assunto	avevate assunto
3. assunsero	hanno assunto	avevano assunto
PAST ANTERIOR		**FUTURE PERFECT**
ebbi assunto *etc*		avrò assunto *etc*

CONDITIONAL / *IMPERATIVE*

PRESENT	PAST	IMPERATIVE
1. assumerei	avrei assunto	
2. assumeresti	avresti assunto	assumi
3. assumerebbe	avrebbe assunto	assuma
1. assumeremmo	avremmo assunto	assumiamo
2. assumereste	avreste assunto	assumete
3. assumerebbero	avrebbero assunto	assumano

SUBJUNCTIVE

PRESENT	IMPERFECT	PLUPERFECT
1. assuma	assumessi	avessi assunto
2. assuma	assumessi	avessi assunto
3. assuma	assumesse	avesse assunto
1. assumiamo	assumessimo	avessimo assunto
2. assumiate	assumeste	aveste assunto
3. assumano	assumessero	avessero assunto

PASSATO PROSSIMO abbia assunto *etc*

INFINITIVE	*GERUND*	*PAST PARTICIPLE*
PRESENT	assumendo	assunto
assumere		
PAST		
aver(e) assunto		

PRESENT	**IMPERFECT**	**FUTURE**
1. attendo	attendevo	attenderò
2. attendi	attendevi	attenderai
3. attende	attendeva	attenderà
1. attendiamo	attendevamo	attenderemo
2. attendete	attendevate	attenderete
3. attendono	attendevano	attenderanno

PASSATO REMOTO	***PASSATO PROSSIMO***	**PLUPERFECT**
1. attesi	ho atteso	avevo atteso
2. attendesti	hai atteso	avevi atteso
3. attese	ha atteso	aveva atteso
1. attendemmo	abbiamo atteso	avevamo atteso
2. attendeste	avete atteso	avevate atteso
3. attesero	hanno atteso	avevano atteso

PAST ANTERIOR		**FUTURE PERFECT**
ebbi atteso *etc*		avrò atteso *etc*

CONDITIONAL / *IMPERATIVE*

PRESENT	**PAST**	
1. attenderei	avrei atteso	
2. attenderesti	avresti atteso	attendi
3. attenderebbe	avrebbe atteso	attenda
1. attenderemmo	avremmo atteso	attendiamo
2. attendereste	avreste atteso	attendete
3. attenderebbero	avrebbero atteso	attendano

SUBJUNCTIVE

PRESENT	**IMPERFECT**	**PLUPERFECT**
1. attenda	attendessi	avessi atteso
2. attenda	attendessi	avessi atteso
3. attenda	attendesse	avesse atteso
1. attendiamo	attendessimo	avessimo atteso
2. attendiate	attendeste	aveste atteso
3. attendano	attendessero	avessero atteso

PASSATO PROSSIMO abbia atteso *etc*

INFINITIVE	*GERUND*	*PAST PARTICIPLE*
PRESENT	attendendo	atteso
attendere		
PAST		
aver(e) atteso		

ATTRAVERSARE
25 *to cross*

PRESENT	**IMPERFECT**	**FUTURE**
1. attraverso	attraversavo	attraverserò
2. attraversi	attraversavi	attraverserai
3. attraversa	attraversava	attraverserà
1. attraversiamo	attraversavamo	attraverseremo
2. attraversate	attraversavate	attraverserete
3. attraversano	attraversavano	attraverseranno
PASSATO REMOTO	***PASSATO PROSSIMO***	**PLUPERFECT**
1. attraversai	ho attraversato	avevo attraversato
2. attraversasti	hai attraversato	avevi attraversato
3. attraversò	ha attraversato	aveva attraversato
1. attraversammo	abbiamo attraversato	avevamo attraversato
2. attraversaste	avete attraversato	avevate attraversato
3. attraversarono	hanno attraversato	avevano attraversato
PAST ANTERIOR		**FUTURE PERFECT**
ebbi attraversato *etc*		avrò attraversato *etc*

CONDITIONAL / *IMPERATIVE*

PRESENT	**PAST**	
1. attraverserei	avrei attraversato	
2. attraverseresti	avresti attraversato	attraversa
3. attraverserebbe	avrebbe attraversato	attraversi
1. attraverseremmo	avremmo attraversato	attraversiamo
2. attraversereste	avreste attraversato	attraversate
3. attraverserebbero	avrebbero attraversato	attraversino

SUBJUNCTIVE

PRESENT	**IMPERFECT**	**PLUPERFECT**
1. attraversi	attraversassi	avessi attraversato
2. attraversi	attraversassi	avessi attraversato
3. attraversi	attraversasse	avesse attraversato
1. attraversiamo	attraversassimo	avessimo attraversato
2. attraversiate	attraversaste	aveste attraversato
3. attraversino	attraversassero	avessero attraversato

PASSATO PROSSIMO abbia attraversato *etc*

INFINITIVE / *GERUND* / *PAST PARTICIPLE*

PRESENT
attraversare

PAST
aver(e) attraversato

GERUND: attraversando

PAST PARTICIPLE: attraversato

PRESENT	IMPERFECT	FUTURE
1. aumento	aumentavo	aumenterò
2. aumenti	aumentavi	aumenterai
3. aumenta	aumentava	aumenterà
1. aumentiamo	aumentavamo	aumenteremo
2. aumentate	aumentavate	aumenterete
3. aumentano	aumentavano	aumenteranno
PASSATO REMOTO	***PASSATO PROSSIMO***	**PLUPERFECT**
1. aumentai	ho aumentato	avevo aumentato
2. aumentasti	hai aumentato	avevi aumentato
3. aumentò	ha aumentato	aveva aumentato
1. aumentammo	abbiamo aumentato	avevamo aumentato
2. aumentaste	avete aumentato	avevate aumentato
3. aumentarono	hanno aumentato	avevano aumentato
PAST ANTERIOR		**FUTURE PERFECT**
ebbi aumentato *etc*		avrò aumentato *etc*

CONDITIONAL / *IMPERATIVE*

PRESENT	PAST	IMPERATIVE
1. aumenterei	avrei aumentato	
2. aumenteresti	avresti aumentato	aumenta
3. aumenterebbe	avrebbe aumentato	aumenti
1. aumenteremmo	avremmo aumentato	aumentiamo
2. aumentereste	avreste aumentato	aumentate
3. aumenterebbero	avrebbero aumentato	aumentino

SUBJUNCTIVE

PRESENT	IMPERFECT	PLUPERFECT
1. aumenti	aumentassi	avessi aumentato
2. aumenti	aumentassi	avessi aumentato
3. aumenti	aumentasse	avesse aumentato
1. aumentiamo	aumentassimo	avessimo aumentato
2. aumentiate	aumentaste	aveste aumentato
3. aumentino	aumentassero	avessero aumentato

PASSATO PROSSIMO abbia aumentato *etc*

INFINITIVE	*GERUND*	*PAST PARTICIPLE*
PRESENT	aumentando	aumentato
aumentare		
PAST		
aver(e) aumentato		

AVERE 27 *to have*

PRESENT	IMPERFECT	FUTURE
1. ho	avevo	avrò
2. hai	avevi	avrai
3. ha	aveva	avrà
1. abbiamo	avevamo	avremo
2. avete	avevate	avrete
3. hanno	avevano	avranno
PASSATO REMOTO	***PASSATO PROSSIMO***	**PLUPERFECT**
1. ebbi	ho avuto	avevo avuto
2. avesti	hai avuto	avevi avuto
3. ebbe	ha avuto	aveva avuto
1. avemmo	abbiamo avuto	avevamo avuto
2. aveste	avete avuto	avevate avuto
3. ebbero	hanno avuto	avevano avuto
PAST ANTERIOR		**FUTURE PERFECT**
ebbi avuto *etc*		avrò avuto *etc*

CONDITIONAL / *IMPERATIVE*

PRESENT	PAST	IMPERATIVE
1. avrei	avrei avuto	
2. avresti	avresti avuto	abbi
3. avrebbe	avrebbe avuto	abbia
1. avremmo	avremmo avuto	abbiamo
2. avreste	avreste avuto	abbiate
3. avrebbero	avrebbero avuto	abbiano

SUBJUNCTIVE

PRESENT	IMPERFECT	PLUPERFECT
1. abbia	avessi	avessi avuto
2. abbia	avessi	avessi avuto
3. abbia	avesse	avesse avuto
1. abbiamo	avessimo	avessimo avuto
2. abbiate	aveste	aveste avuto
3. abbiano	avessero	avessero avuto

PASSATO PROSSIMO abbia avuto *etc*

INFINITIVE / *GERUND* / *PAST PARTICIPLE*

INFINITIVE	GERUND	PAST PARTICIPLE
PRESENT	avendo	avuto
avere		
PAST		
aver(e) avuto		

PRESENT	IMPERFECT	FUTURE
1. bacio	baciavo	bacerò
2. baci	baciavi	bacerai
3. bacia	baciava	bacerà
1. baciamo	baciavamo	baceremo
2. baciate	baciavate	bacerete
3. baciano	baciavano	baceranno

PASSATO REMOTO	*PASSATO PROSSIMO*	PLUPERFECT
1. baciai	ho baciato	avevo baciato
2. baciasti	hai baciato	avevi baciato
3. baciò	ha baciato	aveva baciato
1. baciammo	abbiamo baciato	avevamo baciato
2. baciaste	avete baciato	avevate baciato
3. baciarono	hanno baciato	avevano baciato

PAST ANTERIOR
ebbi baciato *etc*

FUTURE PERFECT
avrò baciato *etc*

CONDITIONAL

PRESENT	PAST
1. bacerei	avrei baciato
2. baceresti	avresti baciato
3. bacerebbe	avrebbe baciato
1. baceremmo	avremmo baciato
2. bacereste	avreste baciato
3. bacerebbero	avrebbero baciato

IMPERATIVE

bacia
baci
baciamo
baciate
bacino

SUBJUNCTIVE

PRESENT	IMPERFECT	PLUPERFECT
1. baci	baciassi	avessi baciato
2. baci	baciassi	avessi baciato
3. baci	baciasse	avesse baciato
1. baciamo	baciassimo	avessimo baciato
2. baciate	baciaste	aveste baciato
3. bacino	baciassero	avessero baciato

PASSATO PROSSIMO abbia baciato *etc*

INFINITIVE

PRESENT
baciare

PAST
aver(e) baciato

GERUND

baciando

PAST PARTICIPLE

baciato

BADARE
29 *to look after*

PRESENT	IMPERFECT	FUTURE
1. bado	badavo	baderò
2. badi	badavi	baderai
3. bada	badava	baderà
1. badiamo	badavamo	baderemo
2. badate	badavate	baderete
3. badano	badavano	baderanno

PASSATO REMOTO	*PASSATO PROSSIMO*	PLUPERFECT
1. badai	ho badato	avevo badato
2. badasti	hai badato	avevi badato
3. badò	ha badato	aveva badato
1. badammo	abbiamo badato	avevamo badato
2. badaste	avete badato	avevate badato
3. badarono	hanno badato	avevano badato

PAST ANTERIOR		FUTURE PERFECT
ebbi badato *etc*		avrò badato *etc*

CONDITIONAL / *IMPERATIVE*

PRESENT	PAST	IMPERATIVE
1. baderei	avrei badato	
2. baderesti	avresti badato	bada
3. baderebbe	avrebbe badato	badi
1. baderemmo	avremmo badato	badiamo
2. badereste	avreste badato	badate
3. baderebbero	avrebbero badato	badino

SUBJUNCTIVE

PRESENT	IMPERFECT	PLUPERFECT
1. badi	badassi	avessi badato
2. badi	badassi	avessi badato
3. badi	badasse	avesse badato
1. badiamo	badassimo	avessimo badato
2. badiate	badaste	aveste badato
3. badino	badassero	avessero badato

PASSATO PROSSIMO abbia badato *etc*

INFINITIVE	*GERUND*	*PAST PARTICIPLE*
PRESENT	badando	badato
badare		
PAST		
aver(e) badato		

PRESENT	IMPERFECT	FUTURE
1. bevo	bevevo	berrò
2. bevi	bevevi	berrai
3. beve	beveva	berrà
1. beviamo	bevevamo	berremo
2. bevete	bevevate	berrete
3. bevono	bevevano	berranno
PASSATO REMOTO	***PASSATO PROSSIMO***	**PLUPERFECT**
1. bevvi/bevetti	ho bevuto	avevo bevuto
2. bevesti	hai bevuto	avevi bevuto
3. bevve/bevette	ha bevuto	aveva bevuto
1. bevemmo	abbiamo bevuto	avevamo bevuto
2. beveste	avete bevuto	avevate bevuto
3. bevvero/bevettero	hanno bevuto	avevano bevuto
PAST ANTERIOR		**FUTURE PERFECT**
ebbi bevuto *etc*		avrò bevuto *etc*

CONDITIONAL / *IMPERATIVE*

PRESENT	PAST	IMPERATIVE
1. berrei	avrei bevuto	
2. berresti	avresti bevuto	bevi
3. berrebbe	avrebbe bevuto	beva
1. berremmo	avremmo bevuto	beviamo
2. berreste	avreste bevuto	bevete
3. berrebbero	avrebbero bevuto	bevano

SUBJUNCTIVE

PRESENT	IMPERFECT	PLUPERFECT
1. beva	bevessi	avessi bevuto
2. beva	bevessi	avessi bevuto
3. beva	bevesse	avesse bevuto
1. beviamo	bevessimo	avessimo bevuto
2. beviate	beveste	aveste bevuto
3. bevano	bevessero	avessero bevuto

PASSATO PROSSIMO abbia bevuto *etc*

INFINITIVE	*GERUND*	*PAST PARTICIPLE*
PRESENT	bevendo	bevuto
bere		
PAST		
aver(e) bevuto		

BOLLIRE
31 *to boil*

PRESENT	IMPERFECT	FUTURE
1. bollo	bollivo	bollirò
2. bolli	bollivi	bollirai
3. bolle	bolliva	bollirà
1. bolliamo	bollivamo	bolliremo
2. bollite	bollivate	bollirete
3. bollono	bollivano	bolliranno
PASSATO REMOTO	***PASSATO PROSSIMO***	**PLUPERFECT**
1. bollii	ho bollito	avevo bollito
2. bollisti	hai bollito	avevi bollito
3. bollì	ha bollito	aveva bollito
1. bollimmo	abbiamo bollito	avevamo bollito
2. bolliste	avete bollito	avevate bollito
3. bollirono	hanno bollito	avevano bollito
PAST ANTERIOR		**FUTURE PERFECT**
ebbi bollito *etc*		avrò bollito *etc*

CONDITIONAL / *IMPERATIVE*

PRESENT	PAST	IMPERATIVE
1. bollirei	avrei bollito	
2. bolliresti	avresti bollito	bolli
3. bollirebbe	avrebbe bollito	bolla
1. bolliremmo	avremmo bollito	bolliamo
2. bollireste	avreste bollito	bollite
3. bollirebbero	avrebbero bollito	bollano

SUBJUNCTIVE

PRESENT	IMPERFECT	PLUPERFECT
1. bolla	bollissi	avessi bollito
2. bolla	bollissi	avessi bollito
3. bolla	bollisse	avesse bollito
1. bolliamo	bollissimo	avessimo bollito
2. bolliate	bolliste	aveste bollito
3. bollano	bollissero	avessero bollito

PASSATO PROSSIMO abbia bollito *etc*

INFINITIVE	*GERUND*	*PAST PARTICIPLE*
PRESENT	bollendo	bollito
bollire		
PAST		
aver(e) bollito		

PRESENT	IMPERFECT	FUTURE
1. brucio	bruciavo	brucerò
2. bruci	bruciavi	brucerai
3. brucia	bruciava	brucerà
1. bruciamo	bruciavamo	bruceremo
2. bruciate	bruciavate	brucerete
3. bruciano	bruciavano	bruceranno

PASSATO REMOTO	*PASSATO PROSSIMO*	PLUPERFECT
1. bruciai	ho bruciato	avevo bruciato
2. bruciasti	hai bruciato	avevi bruciato
3. bruciò	ha bruciato	aveva bruciato
1. bruciammo	abbiamo bruciato	avevamo bruciato
2. bruciaste	avete bruciato	avevate bruciato
3. bruciarono	hanno bruciato	avevano bruciato

PAST ANTERIOR
ebbi bruciato *etc*

FUTURE PERFECT
avrò bruciato *etc*

CONDITIONAL

PRESENT	PAST
1. brucerei	avrei bruciato
2. bruceresti	avresti bruciato
3. brucerebbe	avrebbe bruciato
1. bruceremmo	avremmo bruciato
2. brucereste	avreste bruciato
3. brucerebbero	avrebbero bruciato

IMPERATIVE

brucia
bruci
bruciamo
bruciate
brucino

SUBJUNCTIVE

PRESENT	IMPERFECT	PLUPERFECT
1. bruci	bruciassi	avessi bruciato
2. bruci	bruciassi	avessi bruciato
3. bruci	bruciasse	avesse bruciato
1. bruciamo	bruciassimo	avessimo bruciato
2. bruciate	bruciaste	aveste bruciato
3. brucino	bruciassero	avessero bruciato

PASSATO PROSSIMO abbia bruciato *etc*

INFINITIVE

PRESENT
bruciare

PAST
aver(e) bruciato

GERUND

bruciando

PAST PARTICIPLE

bruciato

CADERE
33 *to fall*

PRESENT	**IMPERFECT**	**FUTURE**
1. cado	cadevo	cadrò
2. cadi	cadevi	cadrai
3. cade	cadeva	cadrà
1. cadiamo	cadevamo	cadremo
2. cadete	cadevate	cadrete
3. cadono	cadevano	cadranno
PASSATO REMOTO	***PASSATO PROSSIMO***	**PLUPERFECT**
1. caddi	sono caduto/a	ero caduto/a
2. cadesti	sei caduto/a	eri caduto/a
3. cadde	è caduto/a	era caduto/a
1. cademmo	siamo caduti/e	eravamo caduti/e
2. cadeste	siete caduti/e	eravate caduti/e
3. caddero	sono caduti/e	erano caduti/e
PAST ANTERIOR		**FUTURE PERFECT**
fui caduto/a *etc*		sarò caduto/a *etc*

CONDITIONAL / *IMPERATIVE*

PRESENT	**PAST**	
1. cadrei	sarei caduto/a	
2. cadresti	saresti caduto/a	cadi
3. cadrebbe	sarebbe caduto/a	cada
1. cadremmo	saremmo caduti/e	cadiamo
2. cadreste	sareste caduti/e	cadete
3. cadrebbero	sarebbero caduti/e	cadano

SUBJUNCTIVE

PRESENT	**IMPERFECT**	**PLUPERFECT**
1. cada	cadessi	fossi caduto/a
2. cada	cadessi	fossi caduto/a
3. cada	cadesse	fosse caduto/a
1. cadiamo	cadessimo	fossimo caduti/e
2. cadiate	cadeste	foste caduti/e
3. cadano	cadessero	fossero caduti/e

PASSATO PROSSIMO sia caduto/a *etc*

INFINITIVE	*GERUND*	*PAST PARTICIPLE*
PRESENT	cadendo	caduto/a/i/e
cadere		
PAST		
esser(e) caduto/a/i/e		

PRESENT	IMPERFECT	FUTURE
1. cambio	cambiavo	cambierò
2. cambi	cambiavi	cambierai
3. cambia	cambiava	cambierà
1. cambiamo	cambiavamo	cambieremo
2. cambiate	cambiavate	cambierete
3. cambiano	cambiavano	cambieranno
PASSATO REMOTO	***PASSATO PROSSIMO***	**PLUPERFECT**
1. cambiai	ho cambiato	avevo cambiato
2. cambiasti	hai cambiato	avevi cambiato
3. cambiò	ha cambiato	aveva cambiato
1. cambiammo	abbiamo cambiato	avevamo cambiato
2. cambiaste	avete cambiato	avevate cambiato
3. cambiarono	hanno cambiato	avevano cambiato
PAST ANTERIOR		**FUTURE PERFECT**
ebbi cambiato *etc*		avrò cambiato *etc*

CONDITIONAL / *IMPERATIVE*

PRESENT	PAST	
1. cambierei	avrei cambiato	
2. cambieresti	avresti cambiato	cambia
3. cambierebbe	avrebbe cambiato	cambi
1. cambieremmo	avremmo cambiato	cambiamo
2. cambiereste	avreste cambiato	cambiate
3. cambierebbero	avrebbero cambiato	cambino

SUBJUNCTIVE

PRESENT	IMPERFECT	PLUPERFECT
1. cambi	cambiassi	avessi cambiato
2. cambi	cambiassi	avessi cambiato
3. cambi	cambiasse	avesse cambiato
1. cambiamo	cambiassimo	avessimo cambiato
2. cambiate	cambiaste	aveste cambiato
3. cambino	cambiassero	avessero cambiato

PASSATO PROSSIMO abbia cambiato *etc*

INFINITIVE	*GERUND*	*PAST PARTICIPLE*
PRESENT	cambiando	cambiato
cambiare		
PAST		
aver(e) cambiato		

CAMMINARE
35 *to walk*

PRESENT	IMPERFECT	FUTURE
1. cammino	camminavo	camminerò
2. cammini	camminavi	camminerai
3. cammina	camminava	camminerà
1. camminiamo	camminavamo	cammineremo
2. camminate	camminavate	camminerete
3. camminano	camminavano	cammineranno

PASSATO REMOTO	*PASSATO PROSSIMO*	PLUPERFECT
1. camminai	ho camminato	avevo camminato
2. camminasti	hai camminato	avevi camminato
3. camminò	ha camminato	aveva camminato
1. camminammo	abbiamo camminato	avevamo camminato
2. camminaste	avete camminato	avevate camminato
3. camminarono	hanno camminato	avevano camminato

PAST ANTERIOR		FUTURE PERFECT
ebbi camminato *etc*		avrò camminato *etc*

CONDITIONAL / *IMPERATIVE*

PRESENT	PAST	
1. camminerei	avrei camminato	
2. cammineresti	avresti camminato	cammina
3. camminerebbe	avrebbe camminato	cammini
1. cammineremmo	avremmo camminato	camminiamo
2. camminereste	avreste camminato	camminate
3. camminerebbero	avrebbero camminato	camminino

SUBJUNCTIVE

PRESENT	IMPERFECT	PLUPERFECT
1. cammini	camminassi	avessi camminato
2. cammini	camminassi	avessi camminato
3. cammini	camminasse	avesse camminato
1. camminiamo	camminassimo	avessimo camminato
2. camminiate	camminaste	aveste camminato
3. camminino	camminassero	avessero camminato

PASSATO PROSSIMO abbia camminato *etc*

INFINITIVE	*GERUND*	*PAST PARTICIPLE*
PRESENT	camminando	camminato
camminare		
PAST		
aver(e) camminato		

PRESENT	IMPERFECT	FUTURE
1. capisco	capivo	capirò
2. capisci	capivi	capirai
3. capisce	capiva	capirà
1. capiamo	capivamo	capiremo
2. capite	capivate	capirete
3. capiscono	capivano	capiranno
PASSATO REMOTO	***PASSATO PROSSIMO***	**PLUPERFECT**
1. capii	ho capito	avevo capito
2. capisti	hai capito	avevi capito
3. capì	ha capito	aveva capito
1. capimmo	abbiamo capito	avevamo capito
2. capiste	avete capito	avevate capito
3. capirono	hanno capito	avevano capito
PAST ANTERIOR		**FUTURE PERFECT**
ebbi capito *etc*		avrò capito *etc*

CONDITIONAL / *IMPERATIVE*

PRESENT	PAST	IMPERATIVE
1. capirei	avrei capito	
2. capiresti	avresti capito	capisci
3. capirebbe	avrebbe capito	capisca
1. capiremmo	avremmo capito	capiamo
2. capireste	avreste capito	capite
3. capirebbero	avrebbero capito	capiscano

SUBJUNCTIVE

PRESENT	IMPERFECT	PLUPERFECT
1. capisca	capissi	avessi capito
2. capisca	capissi	avessi capito
3. capisca	capisse	avesse capito
1. capiamo	capissimo	avessimo capito
2. capiate	capiste	aveste capito
3. capiscano	capissero	avessero capito

PASSATO PROSSIMO abbia capito *etc*

INFINITIVE	*GERUND*	*PAST PARTICIPLE*
PRESENT	capendo	capito
capire		
PAST		
aver(e) capito		

CENARE
37 *to dine, to have dinner*

PRESENT	IMPERFECT	FUTURE
1. ceno	cenavo	cenerò
2. ceni	cenavi	cenerai
3. cena	cenava	cenerà
1. ceniamo	cenavamo	ceneremo
2. cenate	cenavate	cenerete
3. cenano	cenavano	ceneranno
PASSATO REMOTO	***PASSATO PROSSIMO***	**PLUPERFECT**
1. cenai	ho cenato	avevo cenato
2. cenasti	hai cenato	avevi cenato
3. cenò	ha cenato	aveva cenato
1. cenammo	abbiamo cenato	avevamo cenato
2. cenaste	avete cenato	avevate cenato
3. cenarono	hanno cenato	avevano cenato
PAST ANTERIOR		**FUTURE PERFECT**
ebbi cenato *etc*		avrò cenato *etc*

CONDITIONAL / *IMPERATIVE*

PRESENT	PAST	
1. cenerei	avrei cenato	
2. ceneresti	avresti cenato	cena
3. cenerebbe	avrebbe cenato	ceni
1. ceneremmo	avremmo cenato	ceniamo
2. cenereste	avreste cenato	cenate
3. cenerebbero	avrebbero cenato	cenino

SUBJUNCTIVE

PRESENT	IMPERFECT	PLUPERFECT
1. ceni	cenassi	avessi cenato
2. ceni	cenassi	avessi cenato
3. ceni	cenasse	avesse cenato
1. ceniamo	cenassimo	avessimo cenato
2. ceniate	cenaste	aveste cenato
3. cenino	cenassero	avessero cenato

PASSATO PROSSIMO abbia cenato *etc*

INFINITIVE	*GERUND*	*PAST PARTICIPLE*
PRESENT	cenando	cenato
cenare		
PAST		
aver(e) cenato		

PRESENT	**IMPERFECT**	**FUTURE**
1. cerco	cercavo	cercherò
2. cerchi	cercavi	cercherai
3. cerca	cercava	cercherà
1. cerchiamo	cercavamo	cercheremo
2. cercate	cercavate	cercherete
3. cercano	cercavano	cercheranno
PASSATO REMOTO	***PASSATO PROSSIMO***	**PLUPERFECT**
1. cercai	ho cercato	avevo cercato
2. cercasti	hai cercato	avevi cercato
3. cercò	ha cercato	aveva cercato
1. cercammo	abbiamo cercato	avevamo cercato
2. cercaste	avete cercato	avevate cercato
3. cercarono	hanno cercato	avevano cercato
PAST ANTERIOR		**FUTURE PERFECT**
ebbi cercato *etc*		avrò cercato *etc*

CONDITIONAL / *IMPERATIVE*

PRESENT	**PAST**	
1. cercherei	avrei cercato	
2. cercheresti	avresti cercato	cerca
3. cercherebbe	avrebbe cercato	cerchi
1. cercheremmo	avremmo cercato	cerchiamo
2. cerchereste	avreste cercato	cercate
3. cercherebbero	avrebbero cercato	cerchino

SUBJUNCTIVE

PRESENT	**IMPERFECT**	**PLUPERFECT**
1. cerchi	cercassi	avessi cercato
2. cerchi	cercassi	avessi cercato
3. cerchi	cercasse	avesse cercato
1. cerchiamo	cercassimo	avessimo cercato
2. cerchiate	cercaste	aveste cercato
3. cerchino	cercassero	avessero cercato

PASSATO PROSSIMO abbia cercato *etc*

INFINITIVE	*GERUND*	*PAST PARTICIPLE*
PRESENT	cercando	cercato
cercare		
PAST		
aver(e) cercato		

CHIAMARE
39 *to call*

PRESENT	IMPERFECT	FUTURE
1. chiamo	chiamavo	chiamerò
2. chiami	chiamavi	chiamerai
3. chiama	chiamava	chiamerà
1. chiamiamo	chiamavamo	chiameremo
2. chiamate	chiamavate	chiamerete
3. chiamano	chiamavano	chiameranno
PASSATO REMOTO	***PASSATO PROSSIMO***	**PLUPERFECT**
1. chiamai	ho chiamato	avevo chiamato
2. chiamasti	hai chiamato	avevi chiamato
3. chiamò	ha chiamato	aveva chiamato
1. chiamammo	abbiamo chiamato	avevamo chiamato
2. chiamaste	avete chiamato	avevate chiamato
3. chiamarono	hanno chiamato	avevano chiamato
PAST ANTERIOR		**FUTURE PERFECT**
ebbi chiamato *etc*		avrò chiamato *etc*

CONDITIONAL		*IMPERATIVE*
PRESENT	**PAST**	
1. chiamerei	avrei chiamato	
2. chiameresti	avresti chiamato	chiama
3. chiamerebbe	avrebbe chiamato	chiami
1. chiameremmo	avremmo chiamato	chiamiamo
2. chiamereste	avreste chiamato	chiamate
3. chiamerebbero	avrebbero chiamato	chiamino

SUBJUNCTIVE		
PRESENT	**IMPERFECT**	**PLUPERFECT**
1. chiami	chiamassi	avessi chiamato
2. chiami	chiamassi	avessi chiamato
3. chiami	chiamasse	avesse chiamato
1. chiamiamo	chiamassimo	avessimo chiamato
2. chiamiate	chiamaste	aveste chiamato
3. chiamino	chiamassero	avessero chiamato
PASSATO PROSSIMO	abbia chiamato *etc*	

INFINITIVE	*GERUND*	*PAST PARTICIPLE*
PRESENT	chiamando	chiamato
chiamare		
PAST		
aver(e) chiamato		

PRESENT	IMPERFECT	FUTURE
1. chiedo	chiedevo	chiederò
2. chiedi	chiedevi	chiederai
3. chiede	chiedeva	chiederà
1. chiediamo	chiedevamo	chiederemo
2. chiedete	chiedevate	chiederete
3. chiedono	chiedevano	chiederanno
PASSATO REMOTO	***PASSATO PROSSIMO***	**PLUPERFECT**
1. chiesi	ho chiesto	avevo chiesto
2. chiedesti	hai chiesto	avevi chiesto
3. chiese	ha chiesto	aveva chiesto
1. chiedemmo	abbiamo chiesto	avevamo chiesto
2. chiedeste	avete chiesto	avevate chiesto
3. chiesero	hanno chiesto	avevano chiesto
PAST ANTERIOR		**FUTURE PERFECT**
ebbi chiesto *etc*		avrò chiesto *etc*

CONDITIONAL / *IMPERATIVE*

PRESENT	PAST	IMPERATIVE
1. chiederei	avrei chiesto	
2. chiederesti	avresti chiesto	chiedi
3. chiederebbe	avrebbe chiesto	chieda
1. chiederemmo	avremmo chiesto	chiediamo
2. chiedereste	avreste chiesto	chiedete
3. chiederebbero	avrebbero chiesto	chiedano

SUBJUNCTIVE

PRESENT	IMPERFECT	PLUPERFECT
1. chieda	chiedessi	avessi chiesto
2. chieda	chiedessi	avessi chiesto
3. chieda	chiedesse	avesse chiesto
1. chiediamo	chiedessimo	avessimo chiesto
2. chiediate	chiedeste	aveste chiesto
3. chiedano	chiedessero	avessero chiesto

PASSATO PROSSIMO abbia chiesto *etc*

INFINITIVE / *GERUND* / *PAST PARTICIPLE*

INFINITIVE	GERUND	PAST PARTICIPLE
PRESENT	chiedendo	chiesto
chiedere		
PAST		
aver(e) chiesto		

CHIUDERE

41 *to close*

PRESENT	IMPERFECT	FUTURE
1. chiudo	chiudevo	chiuderò
2. chiudi	chiudevi	chiuderai
3. chiude	chiudeva	chiuderà
1. chiudiamo	chiudevamo	chiuderemo
2. chiudete	chiudevate	chiuderete
3. chiudono	chiudevano	chiuderanno
PASSATO REMOTO	***PASSATO PROSSIMO***	**PLUPERFECT**
1. chiusi	ho chiuso	avevo chiuso
2. chiudesti	hai chiuso	avevi chiuso
3. chiuse	ha chiuso	aveva chiuso
1. chiudemmo	abbiamo chiuso	avevamo chiuso
2. chiudeste	avete chiuso	avevate chiuso
3. chiusero	hanno chiuso	avevano chiuso
PAST ANTERIOR		**FUTURE PERFECT**
ebbi chiuso *etc*		avrò chiuso *etc*

CONDITIONAL / *IMPERATIVE*

PRESENT	PAST	IMPERATIVE
1. chiuderei	avrei chiuso	
2. chiuderesti	avresti chiuso	chiudi
3. chiuderebbe	avrebbe chiuso	chiuda
1. chiuderemmo	avremmo chiuso	chiudiamo
2. chiudereste	avreste chiuso	chiudete
3. chiuderebbero	avrebbero chiuso	chiudano

SUBJUNCTIVE

PRESENT	IMPERFECT	PLUPERFECT
1. chiuda	chiudessi	avessi chiuso
2. chiuda	chiudessi	avessi chiuso
3. chiuda	chiudesse	avesse chiuso
1. chiudiamo	chiudessimo	avessimo chiuso
2. chiudiate	chiudeste	aveste chiuso
3. chiudano	chiudessero	avessero chiuso

PASSATO PROSSIMO abbia chiuso *etc*

INFINITIVE	*GERUND*	*PAST PARTICIPLE*
PRESENT	chiudendo	chiuso
chiudere		
PAST		
aver(e) chiuso		

PRESENT	**IMPERFECT**	**FUTURE**
1. colgo	coglievo	coglierò
2. cogli	coglievi	coglierai
3. coglie	coglieva	coglierà
1. cogliamo	coglievamo	coglieremo
2. cogliete	coglievate	coglierete
3. colgono	coglievano	coglieranno
PASSATO REMOTO	***PASSATO PROSSIMO***	**PLUPERFECT**
1. colsi	ho colto	avevo colto
2. cogliesti	hai colto	avevi colto
3. colse	ha colto	aveva colto
1. cogliemmo	abbiamo colto	avevamo colto
2. coglieste	avete colto	avevate colto
3. colsero	hanno colto	avevano colto
PAST ANTERIOR		**FUTURE PERFECT**
ebbi colto *etc*		avrò colto *etc*

CONDITIONAL / *IMPERATIVE*

PRESENT	**PAST**	
1. coglierei	avrei colto	
2. coglieresti	avresti colto	cogli
3. coglierebbe	avrebbe colto	colga
1. coglieremmo	avremmo colto	cogliamo
2. cogliereste	avreste colto	cogliete
3. coglierebbero	avrebbero colto	colgano

SUBJUNCTIVE

PRESENT	**IMPERFECT**	**PLUPERFECT**
1. colga	cogliessi	avessi colto
2. colga	cogliessi	avessi colto
3. colga	cogliesse	avesse colto
1. cogliamo	cogliessimo	avessimo colto
2. cogliate	coglieste	aveste colto
3. colgano	cogliessero	avessero colto

PASSATO PROSSIMO abbia colto *etc*

INFINITIVE / *GERUND* / *PAST PARTICIPLE*

INFINITIVE	*GERUND*	*PAST PARTICIPLE*
PRESENT	cogliendo	colto
cogliere		
PAST		
aver(e) colto		

COINCIDERE
43 *to coincide*

PRESENT	**IMPERFECT**	**FUTURE**
1. coincido	coincidevo	coinciderò
2. coincidi	coincidevi	coinciderai
3. coincide	coincideva	coinciderà
1. coincidiamo	coincidevamo	coincideremo
2. coincidete	coincidevate	coinciderete
3. coincidono	coincidevano	coincideranno
PASSATO REMOTO	***PASSATO PROSSIMO***	**PLUPERFECT**
1. coincisi	ho coinciso	avevo coinciso
2. coincidesti	hai coinciso	avevi coinciso
3. coincise	ha coinciso	aveva coinciso
1. coincidemmo	abbiamo coinciso	avevamo coinciso
2. coincideste	avete coinciso	avevate coinciso
3. coincisero	hanno coinciso	avevano coinciso
PAST ANTERIOR		**FUTURE PERFECT**
ebbi coinciso *etc*		avrò coinciso *etc*

CONDITIONAL / *IMPERATIVE*

PRESENT	**PAST**	
1. coinciderei	avrei coinciso	
2. coincideresti	avresti coinciso	coincidi
3. coinciderebbe	avrebbe coinciso	coincida
1. coincideremmo	avremmo coinciso	coincidiamo
2. coincidereste	avreste coinciso	coincidete
3. coinciderebbero	avrebbero coinciso	coincidano

SUBJUNCTIVE

PRESENT	**IMPERFECT**	**PLUPERFECT**
1. coincida	coincidessi	avessi coinciso
2. coincida	coincidessi	avessi coinciso
3. coincida	coincidesse	avesse coinciso
1. coincidiamo	coincidessimo	avessimo coinciso
2. coincidiate	coincideste	aveste coinciso
3. coincidano	coincidessero	avessero coinciso

PASSATO PROSSIMO abbia coinciso *etc*

INFINITIVE	*GERUND*	*PAST PARTICIPLE*
PRESENT	coincidendo	coinciso
coincidere		
PAST		
aver(e) coinciso		

PRESENT	IMPERFECT	FUTURE
1. colpisco	colpivo	colpirò
2. colpisci	colpivi	colpirai
3. colpisce	colpiva	colpirà
1. colpiamo	colpivamo	colpiremo
2. colpite	colpivate	colpirete
3. colpiscono	colpivano	colpiranno
PASSATO REMOTO	***PASSATO PROSSIMO***	**PLUPERFECT**
1. colpii	ho colpito	avevo colpito
2. colpisti	hai colpito	avevi colpito
3. colpì	ha colpito	aveva colpito
1. colpimmo	abbiamo colpito	avevamo colpito
2. colpiste	avete colpito	avevate colpito
3. colpirono	hanno colpito	avevano colpito
PAST ANTERIOR		**FUTURE PERFECT**
ebbi colpito *etc*		avrò colpito *etc*

CONDITIONAL / *IMPERATIVE*

PRESENT	PAST	
1. colpirei	avrei colpito	
2. colpiresti	avresti colpito	colpisci
3. colpirebbe	avrebbe colpito	colpisca
1. colpiremmo	avremmo colpito	colpiamo
2. colpireste	avreste colpito	colpite
3. colpirebbero	avrebbero colpito	colpiscano

SUBJUNCTIVE

PRESENT	IMPERFECT	PLUPERFECT
1. colpisca	colpissi	avessi colpito
2. colpisca	colpissi	avessi colpito
3. colpisca	colpisse	avesse colpito
1. colpiamo	colpissimo	avessimo colpito
2. colpiate	colpiste	aveste colpito
3. colpiscano	colpissero	avessero colpito

PASSATO PROSSIMO abbia colpito *etc*

INFINITIVE	*GERUND*	*PAST PARTICIPLE*
PRESENT	colpendo	colpito
colpire		
PAST		
aver(e) colpito		

COMINCIARE
45 to start

PRESENT	IMPERFECT	FUTURE
1. comincio	cominciavo	comincerò
2. cominci	cominciavi	comincerai
3. comincia	cominciava	comincerà
1. cominciamo	cominciavamo	cominceremo
2. cominciate	cominciavate	comincerete
3. cominciano	cominciavano	cominceranno
PASSATO REMOTO	***PASSATO PROSSIMO***	**PLUPERFECT**
1. cominciai	ho cominciato	avevo cominciato
2. cominciasti	hai cominciato	avevi cominciato
3. cominciò	ha cominciato	aveva cominciato
1. cominciammo	abbiamo cominciato	avevamo cominciato
2. cominciaste	avete cominciato	avevate cominciato
3. cominciarono	hanno cominciato	avevano cominciato
PAST ANTERIOR		**FUTURE PERFECT**
ebbi cominciato *etc*		avrò cominciato *etc*

CONDITIONAL / *IMPERATIVE*

PRESENT	PAST	
1. comincerei	avrei cominciato	
2. cominceresti	avresti cominciato	comincia
3. comincerebbe	avrebbe cominciato	cominci
1. cominceremmo	avremmo cominciato	cominciamo
2. comincereste	avreste cominciato	cominciate
3. comincerebbero	avrebbero cominciato	comincino

SUBJUNCTIVE

PRESENT	IMPERFECT	PLUPERFECT
1. cominci	cominciassi	avessi cominciato
2. cominci	cominciassi	avessi cominciato
3. cominci	cominciasse	avesse cominciato
1. cominciamo	cominciassimo	avessimo cominciato
2. cominciate	cominciaste	aveste cominciato
3. comincino	cominciassero	avessero cominciato

PASSATO PROSSIMO abbia cominciato *etc*

INFINITIVE / *GERUND* / *PAST PARTICIPLE*

INFINITIVE	GERUND	PAST PARTICIPLE
PRESENT	cominciando	cominciato
cominciare		
PAST		
aver(e) cominciato		

PRESENT	**IMPERFECT**	**FUTURE**
1. compaio/comparisco	comparivo	comparirò
2. compari/comparisci	comparivi	comparirai
3. compare/comparisce	compariva	comparirà
1. compariamo	comparivamo	compariremo
2. comparite	comparivate	comparirete
3. compaiono/compariscono	comparivano	compariranno
PASSATO REMOTO	***PASSATO PROSSIMO***	**PLUPERFECT**
1. comparvi/comparii	sono comparso/a	ero comparso/a
2. comparisti	sei comparso/a	eri comparso/a
3. comparve/comparì	è comparso/a	era comparso/a
1. comparimmo	siamo comparsi/e	eravamo comparsi/e
2. compariste	siete comparsi/e	eravate comparsi/e
3. comparvero/comparirono	sono comparsi/e	erano comparsi/e
PAST ANTERIOR		**FUTURE PERFECT**
fui comparso/a *etc*		sarò comparso/a *etc*

CONDITIONAL / *IMPERATIVE*

PRESENT	**PAST**	**IMPERATIVE**
1. comparirei	sarei comparso/a	
2. compariresti	saresti comparso/a	compari/comparisci
3. comparirebbe	sarebbe comparso/a	compaia/comparisca
1. compariremmo	saremmo comparsi/e	compariamo
2. comparireste	sareste comparsi/e	comparite
3. comparirebbero	sarebbero comparsi/e	compaiano/compariscano

SUBJUNCTIVE

PRESENT	**IMPERFECT**	**PLUPERFECT**
1. compaia/comparisca	comparissi	fossi comparso/a
2. compaia/comparisca	comparissi	fossi comparso/a
3. compaia/comparisca	comparisse	fosse comparso/a
1. compariamo	comparissimo	fossimo comparsi/e
2. compariate	compariste	foste comparsi/e
3. compaiano/compariscano	comparissero	fossero comparsi/e

PASSATO PROSSIMO sia comparso/a *etc*

INFINITIVE / *GERUND* / *PAST PARTICIPLE*

PRESENT
comparire

PAST
esser(e) comparso/a/i/e

GERUND: comparendo

PAST PARTICIPLE: comparso/a/i/e

Note that further alternative forms of the 1st and 3rd person singular and 3rd person plural of the passato remoto are comparsi, comparse and comparsero respectively.

COMPIERE
47 *to carry out; to complete*

PRESENT	IMPERFECT	FUTURE
1. compio	compivo	compirò
2. compi	compivi	compirai
3. compie	compiva	compirà
1. compiamo	compivamo	compiremo
2. compite	compivate	compirete
3. compiono	compivano	compiranno

PASSATO REMOTO	*PASSATO PROSSIMO*	PLUPERFECT
1. compii/compiei	ho compiuto	avevo compiuto
2. compisti	hai compiuto	avevi compiuto
3. compì	ha compiuto	aveva compiuto
1. compimmo	abbiamo compiuto	avevamo compiuto
2. compiste	avete compiuto	avevate compiuto
3. compirono	hanno compiuto	avevano compiuto

PAST ANTERIOR		FUTURE PERFECT
ebbi compiuto *etc*		avrò compiuto *etc*

CONDITIONAL / *IMPERATIVE*

PRESENT	PAST	IMPERATIVE
1. compirei	avrei compiuto	
2. compiresti	avresti compiuto	compi
3. compirebbe	avrebbe compiuto	compia
1. compiremmo	avremmo compiuto	compiamo
2. compireste	avreste compiuto	compite
3. compirebbero	avrebbero compiuto	compiano

SUBJUNCTIVE

PRESENT	IMPERFECT	PLUPERFECT
1. compia	compissi	avessi compiuto
2. compia	compissi	avessi compiuto
3. compia	compisse	avesse compiuto
1. compiamo	compissimo	avessimo compiuto
2. compiate	compiste	aveste compiuto
3. compiano	compissero	avessero compiuto

PASSATO PROSSIMO abbia compiuto *etc*

INFINITIVE	*GERUND*	*PAST PARTICIPLE*
PRESENT	compiendo	compiuto
compiere		
PAST		
aver(e) compiuto		

PRESENT	IMPERFECT	FUTURE
1. compro	compravo	comprerò
2. compri	compravi	comprerai
3. compra	comprava	comprerà
1. compriamo	compravamo	compreremo
2. comprate	compravate	comprerete
3. comprano	compravano	compreranno
PASSATO REMOTO	***PASSATO PROSSIMO***	**PLUPERFECT**
1. comprai	ho comprato	avevo comprato
2. comprasti	hai comprato	avevi comprato
3. comprò	ha comprato	aveva comprato
1. comprammo	abbiamo comprato	avevamo comprato
2. compraste	avete comprato	avevate comprato
3. comprarono	hanno comprato	avevano comprato
PAST ANTERIOR		**FUTURE PERFECT**
ebbi comprato *etc*		avrò comprato *etc*

CONDITIONAL / IMPERATIVE

PRESENT	PAST	IMPERATIVE
1. comprerei	avrei comprato	
2. compreresti	avresti comprato	compra
3. comprerebbe	avrebbe comprato	compri
1. compreremmo	avremmo comprato	compriamo
2. comprereste	avreste comprato	comprate
3. comprerebbero	avrebbero comprato	comprino

SUBJUNCTIVE

PRESENT	IMPERFECT	PLUPERFECT
1. compri	comprassi	avessi comprato
2. compri	comprassi	avessi comprato
3. compri	comprasse	avesse comprato
1. compriamo	comprassimo	avessimo comprato
2. compriate	compraste	aveste comprato
3. comprino	comprassero	avessero comprato

PASSATO PROSSIMO abbia comprato *etc*

INFINITIVE / GERUND / PAST PARTICIPLE

INFINITIVE	GERUND	PAST PARTICIPLE
PRESENT	comprando	comprato
comprare		
PAST		
aver(e) comprato		

CONCEDERE
49 *to allow; to concede*

PRESENT	**IMPERFECT**	**FUTURE**
1. concedo	concedevo	concederò
2. concedi	concedevi	concederai
3. concede	concedeva	concederà
1. concediamo	concedevamo	concederemo
2. concedete	concedevate	concederete
3. concedono	concedevano	concederanno
PASSATO REMOTO	***PASSATO PROSSIMO***	**PLUPERFECT**
1. concessi/concedei[1]	ho concesso	avevo concesso
2. concedesti	hai concesso	avevi concesso
3. concesse/concedé[2]	ha concesso	aveva concesso
1. concedemmo	abbiamo concesso	avevamo concesso
2. concedeste	avete concesso	avevate concesso
3. concessero[3]	hanno concesso	avevano concesso
PAST ANTERIOR		**FUTURE PERFECT**
ebbi concesso *etc*		avrò concesso *etc*

CONDITIONAL / *IMPERATIVE*

PRESENT	**PAST**	
1. concederei	avrei concesso	
2. concederesti	avresti concesso	concedi
3. concederebbe	avrebbe concesso	conceda
1. concederemmo	avremmo concesso	concediamo
2. concedereste	avreste concesso	concedete
3. concederebbero	avrebbero concesso	concedano

SUBJUNCTIVE

PRESENT	**IMPERFECT**	**PLUPERFECT**
1. conceda	concedessi	avessi concesso
2. conceda	concedessi	avessi concesso
3. conceda	concedesse	avesse concesso
1. concediamo	concedessimo	avessimo concesso
2. concediate	concedeste	aveste concesso
3. concedano	concedessero	avessero concesso

PASSATO PROSSIMO abbia concesso *etc*

INFINITIVE	*GERUND*	*PAST PARTICIPLE*
PRESENT	concedendo	concesso
concedere		
PAST		
aver(e) concesso		

Note that the following variants are also possible: [1]**concedetti**; [2]**concedette**; [3]**concederono** or **concedettero.**

PRESENT	IMPERFECT	FUTURE
1. confondo	confondevo	confonderò
2. confondi	confondevi	confonderai
3. confonde	confondeva	confonderà
1. confondiamo	confondevamo	confonderemo
2. confondete	confondevate	confonderete
3. confondono	confondevano	confonderanno
PASSATO REMOTO	***PASSATO PROSSIMO***	**PLUPERFECT**
1. confusi	ho confuso	avevo confuso
2. confondesti	hai confuso	avevi confuso
3. confuse	ha confuso	aveva confuso
1. confondemmo	abbiamo confuso	avevamo confuso
2. confondeste	avete confuso	avevate confuso
3. confusero	hanno confuso	avevano confuso
PAST ANTERIOR		**FUTURE PERFECT**
ebbi confuso *etc*		avrò confuso *etc*

CONDITIONAL		*IMPERATIVE*
PRESENT	**PAST**	
1. confonderei	avrei confuso	
2. confonderesti	avresti confuso	confondi
3. confonderebbe	avrebbe confuso	confonda
1. confonderemmo	avremmo confuso	confondiamo
2. confondereste	avreste confuso	confondete
3. confonderebbero	avrebbero confuso	confondano

SUBJUNCTIVE

PRESENT	IMPERFECT	PLUPERFECT
1. confonda	confondessi	avessi confuso
2. confonda	confondessi	avessi confuso
3. confonda	confondesse	avesse confuso
1. confondiamo	confondessimo	avessimo confuso
2. confondiate	confondeste	aveste confuso
3. confondano	confondessero	avessero confuso

PASSATO PROSSIMO abbia confuso *etc*

INFINITIVE	*GERUND*	*PAST PARTICIPLE*
PRESENT	confondendo	confuso
confondere		
PAST		
aver(e) confuso		

CONOSCERE
51 *to know*

PRESENT	IMPERFECT	FUTURE
1. conosco	conoscevo	conoscerò
2. conosci	conoscevi	conoscerai
3. conosce	conosceva	conoscerà
1. conosciamo	conoscevamo	conosceremo
2. conoscete	conoscevate	conoscerete
3. conoscono	conoscevano	conosceranno

PASSATO REMOTO	*PASSATO PROSSIMO*	PLUPERFECT
1. conobbi	ho conosciuto	avevo conosciuto
2. conoscesti	hai conosciuto	avevi conosciuto
3. conobbe	ha conosciuto	aveva conosciuto
1. conoscemmo	abbiamo conosciuto	avevamo conosciuto
2. conosceste	avete conosciuto	avevate conosciuto
3. conobbero	hanno conosciuto	avevano conosciuto

PAST ANTERIOR		FUTURE PERFECT
ebbi conosciuto *etc*		avrò conosciuto *etc*

CONDITIONAL / *IMPERATIVE*

PRESENT	PAST	IMPERATIVE
1. conoscerei	avrei conosciuto	
2. conosceresti	avresti conosciuto	conosci
3. conoscerebbe	avrebbe conosciuto	conosca
1. conosceremmo	avremmo conosciuto	conosciamo
2. conoscereste	avreste conosciuto	conoscete
3. conoscerebbero	avrebbero conosciuto	conoscano

SUBJUNCTIVE

PRESENT	IMPERFECT	PLUPERFECT
1. conosca	conoscessi	avessi conosciuto
2. conosca	conoscessi	avessi conosciuto
3. conosca	conoscesse	avesse conosciuto
1. conosciamo	conoscessimo	avessimo conosciuto
2. conosciate	conosceste	aveste conosciuto
3. conoscano	conoscessero	avessero conosciuto

PASSATO PROSSIMO abbia conosciuto *etc*

INFINITIVE	*GERUND*	*PAST PARTICIPLE*
PRESENT	conoscendo	conosciuto
conoscere		
PAST		
aver(e) conosciuto		

PRESENT	IMPERFECT	FUTURE
1. consiglio	consigliavo	consiglierò
2. consigli	consigliavi	consiglierai
3. consiglia	consigliava	consiglierà
1. consigliamo	consigliavamo	consiglieremo
2. consigliate	consigliavate	consiglierete
3. consigliano	consigliavano	consiglieranno

PASSATO REMOTO	*PASSATO PROSSIMO*	PLUPERFECT
1. consigliai	ho consigliato	avevo consigliato
2. consigliasti	hai consigliato	avevi consigliato
3. consigliò	ha consigliato	aveva consigliato
1. consigliammo	abbiamo consigliato	avevamo consigliato
2. consigliaste	avete consigliato	avevate consigliato
3. consigliarono	hanno consigliato	avevano consigliato

PAST ANTERIOR
ebbi consigliato *etc*

FUTURE PERFECT
avrò consigliato *etc*

CONDITIONAL / *IMPERATIVE*

PRESENT	PAST	IMPERATIVE
1. consiglierei	avrei consigliato	
2. consiglieresti	avresti consigliato	consiglia
3. consiglierebbe	avrebbe consigliato	consigli
1. consiglieremmo	avremmo consigliato	consigliamo
2. consigliereste	avreste consigliato	consigliate
3. consiglierebbero	avrebbero consigliato	consiglino

SUBJUNCTIVE

PRESENT	IMPERFECT	PLUPERFECT
1. consigli	consigliassi	avessi consigliato
2. consigli	consigliassi	avessi consigliato
3. consigli	consigliasse	avesse consigliato
1. consigliamo	consigliassimo	avessimo consigliato
2. consigliate	consigliaste	aveste consigliato
3. consiglino	consigliassero	avessero consigliato

PASSATO PROSSIMO abbia consigliato *etc*

INFINITIVE / *GERUND* / *PAST PARTICIPLE*

PRESENT
consigliare

PAST
aver(e) consigliato

GERUND
consigliando

PAST PARTICIPLE
consigliato

CONSISTERE
53 *to consist*

PRESENT	**IMPERFECT**	**FUTURE**
3. consiste	consisteva	consisterà
3. consistono	consistevano	consisteranno
PASSATO REMOTO	***PASSATO PROSSIMO***	**PLUPERFECT**
3. consisté/consistette	è consistito/a	era consistito/a
3. consisterono/consistettero	sono consistiti/e	erano consistiti/e
PAST ANTERIOR		**FUTURE PERFECT**
fu consistito/a *etc*		sarà consistito/a *etc*

CONDITIONAL / *IMPERATIVE*

PRESENT	**PAST**
3. consisterebbe	sarebbe consistito/a
3. consisterebbero	sarebbero consistiti/e

SUBJUNCTIVE

PRESENT	**IMPERFECT**	**PLUPERFECT**
3. consista	consistesse	fosse consistito/a
3. consistano	consistessero	fossero consistiti/e

PASSATO PROSSIMO sia consistito/a *etc*

INFINITIVE / *GERUND* / *PAST PARTICIPLE*

INFINITIVE	*GERUND*	*PAST PARTICIPLE*
PRESENT	consistendo	consistito/a/i/e
consistere		
PAST		
esser(e) consistito/a/i/e		

PRESENT	IMPERFECT	FUTURE
1. continuo	continuavo	continuerò
2. continui	continuavi	continuerai
3. continua	continuava	continuerà
1. continuiamo	continuavamo	continueremo
2. continuate	continuavate	continuerete
3. continuano	continuavano	continueranno
PASSATO REMOTO	***PASSATO PROSSIMO***	**PLUPERFECT**
1. continuai	ho continuato	avevo continuato
2. continuasti	hai continuato	avevi continuato
3. continuò	ha continuato	aveva continuato
1. continuammo	abbiamo continuato	avevamo continuato
2. continuaste	avete continuato	avevate continuato
3. continuarono	hanno continuato	avevano continuato
PAST ANTERIOR		**FUTURE PERFECT**
ebbi continuato *etc*		avrò continuato *etc*

CONDITIONAL / *IMPERATIVE*

PRESENT	PAST	
1. continuerei	avrei continuato	
2. continueresti	avresti continuato	continua
3. continuerebbe	avrebbe continuato	continui
1. continueremmo	avremmo continuato	continuiamo
2. continuereste	avreste continuato	continuate
3. continuerebbero	avrebbero continuato	continuino

SUBJUNCTIVE

PRESENT	IMPERFECT	PLUPERFECT
1. continui	continuassi	avessi continuato
2. continui	continuassi	avessi continuato
3. continui	continuasse	avesse continuato
1. continuiamo	continuassimo	avessimo continuato
2. continuiate	continuaste	aveste continuato
3. continuino	continuassero	avessero continuato

PASSATO PROSSIMO abbia continuato *etc*

INFINITIVE / *GERUND* / *PAST PARTICIPLE*

INFINITIVE	GERUND	PAST PARTICIPLE
PRESENT	continuando	continuato
continuare		
PAST		
aver(e) continuato		

CONVINCERE
55 *to convince*

PRESENT	IMPERFECT	FUTURE
1. convinco	convincevo	convincerò
2. convinci	convincevi	convincerai
3. convince	convinceva	convincerà
1. convinciamo	convincevamo	convinceremo
2. convincete	convincevate	convincerete
3. convincono	convincevano	convinceranno

PASSATO REMOTO	*PASSATO PROSSIMO*	PLUPERFECT
1. convinsi	ho convinto	avevo convinto
2. convincesti	hai convinto	avevi convinto
3. convinse	ha convinto	aveva convinto
1. convincemmo	abbiamo convinto	avevamo convinto
2. convinceste	avete convinto	avevate convinto
3. convinsero	hanno convinto	avevano convinto

PAST ANTERIOR
ebbi convinto *etc*

FUTURE PERFECT
avrò convinto *etc*

CONDITIONAL

PRESENT	PAST
1. convincerei	avrei convinto
2. convinceresti	avresti convinto
3. convincerebbe	avrebbe convinto
1. convinceremmo	avremmo convinto
2. convincereste	avreste convinto
3. convincerebbero	avrebbero convinto

IMPERATIVE

convinci
convinca
convinciamo
convincete
convincano

SUBJUNCTIVE

PRESENT	IMPERFECT	PLUPERFECT
1. convinca	convincessi	avessi convinto
2. convinca	convincessi	avessi convinto
3. convinca	convincesse	avesse convinto
1. convinciamo	convincessimo	avessimo convinto
2. convinciate	convinceste	aveste convinto
3. convincano	convincessero	avessero convinto

PASSATO PROSSIMO abbia convinto *etc*

INFINITIVE

PRESENT
convincere

PAST
aver(e) convinto

GERUND

convincendo

PAST PARTICIPLE

convinto

PRESENT	IMPERFECT	FUTURE
1. copro	coprivo	coprirò
2. copri	coprivi	coprirai
3. copre	copriva	coprirà
1. copriamo	coprivamo	copriremo
2. coprite	coprivate	coprirete
3. coprono	coprivano	copriranno
PASSATO REMOTO	***PASSATO PROSSIMO***	**PLUPERFECT**
1. coprii/copersi	ho coperto	avevo coperto
2. copristi	hai coperto	avevi coperto
3. coprì/coperse	ha coperto	aveva coperto
1. coprimmo	abbiamo coperto	avevamo coperto
2. copriste	avete coperto	avevate coperto
3. coprirono/copersero	hanno coperto	avevano coperto
PAST ANTERIOR		**FUTURE PERFECT**
ebbi coperto *etc*		avrò coperto *etc*

CONDITIONAL / *IMPERATIVE*

PRESENT	PAST	IMPERATIVE
1. coprirei	avrei coperto	
2. copriresti	avresti coperto	copri
3. coprirebbe	avrebbe coperto	copra
1. copriremmo	avremmo coperto	copriamo
2. coprireste	avreste coperto	coprite
3. coprirebbero	avrebbero coperto	coprano

SUBJUNCTIVE

PRESENT	IMPERFECT	PLUPERFECT
1. copra	coprissi	avessi coperto
2. copra	coprissi	avessi coperto
3. copra	coprisse	avesse coperto
1. copriamo	coprissimo	avessimo coperto
2. copriate	copriste	aveste coperto
3. coprano	coprissero	avessero coperto

PASSATO PROSSIMO abbia coperto *etc*

INFINITIVE	*GERUND*	*PAST PARTICIPLE*
PRESENT	coprendo	coperto
coprire		
PAST		
aver(e) coperto		

CORREGGERE
57 *to correct*

PRESENT	IMPERFECT	FUTURE
1. correggo	correggevo	correggerò
2. correggi	correggevi	correggerai
3. corregge	correggeva	correggerà
1. correggiamo	correggevamo	correggeremo
2. correggete	correggevate	correggerete
3. correggono	correggevano	correggeranno
PASSATO REMOTO	***PASSATO PROSSIMO***	**PLUPERFECT**
1. corressi	ho corretto	avevo corretto
2. correggesti	hai corretto	avevi corretto
3. corresse	ha corretto	aveva corretto
1. correggemmo	abbiamo corretto	avevamo corretto
2. correggeste	avete corretto	avevate corretto
3. corressero	hanno corretto	avevano corretto
PAST ANTERIOR		**FUTURE PERFECT**
ebbi corretto *etc*		avrò corretto *etc*

CONDITIONAL / *IMPERATIVE*

PRESENT	PAST	IMPERATIVE
1. correggerei	avrei corretto	
2. correggeresti	avresti corretto	correggi
3. correggerebbe	avrebbe corretto	corregga
1. correggeremmo	avremmo corretto	correggiamo
2. correggereste	avreste corretto	correggete
3. correggerebbero	avrebbero corretto	correggano

SUBJUNCTIVE

PRESENT	IMPERFECT	PLUPERFECT
1. corregga	correggessi	avessi corretto
2. corregga	correggessi	avessi corretto
3. corregga	correggesse	avesse corretto
1. correggiamo	correggessimo	avessimo corretto
2. correggiate	correggeste	aveste corretto
3. correggano	correggessero	avessero corretto

PASSATO PROSSIMO abbia corretto *etc*

INFINITIVE	*GERUND*	*PAST PARTICIPLE*
PRESENT	correggendo	corretto
correggere		
PAST		
aver(e) corretto		

PRESENT	IMPERFECT	FUTURE
1. corro	correvo	correrò
2. corri	correvi	correrai
3. corre	correva	correrà
1. corriamo	correvamo	correremo
2. correte	correvate	correrete
3. corrono	correvano	correranno

PASSATO REMOTO	*PASSATO PROSSIMO*	PLUPERFECT
1. corsi	sono corso/a	ero corso/a
2. corresti	sei corso/a	eri corso/a
3. corse	è corso/a	era corso/a
1. corremmo	siamo corsi/e	eravamo corsi/e
2. correste	siete corsi/e	eravate corsi/e
3. corsero	sono corsi/e	erano corsi/e

PAST ANTERIOR
fui corso/a *etc*

FUTURE PERFECT
sarò corso/a *etc*

CONDITIONAL

PRESENT	PAST
1. correrei	sarei corso/a
2. correresti	saresti corso/a
3. correrebbe	sarebbe corso/a
1. correremmo	saremmo corsi/e
2. correreste	sareste corsi/e
3. correrebbero	sarebbero corsi/e

IMPERATIVE

corri
corra
corriamo
correte
corrano

SUBJUNCTIVE

PRESENT	IMPERFECT	PLUPERFECT
1. corra	corressi	fossi corso/a
2. corra	corressi	fossi corso/a
3. corra	corresse	fosse corso/a
1. corriamo	corressimo	fossimo corsi/e
2. corriate	correste	foste corsi/e
3. corrano	corressero	fossero corsi/e

PASSATO PROSSIMO sia corso/a *etc*

INFINITIVE

PRESENT
correre

PAST
esser(e) corso/a/i/e

GERUND

correndo

PAST PARTICIPLE

corso/a/i/e

Note that correre takes **avere** as its auxiliary when used transitively, eg: **I have run a risk** ho corso un rischio.

COSTARE
59 *to cost; to be expensive*

PRESENT	IMPERFECT	FUTURE
1. costo	costavo	costerò
2. costi	costavi	costerai
3. costa	costava	costerà
1. costiamo	costavamo	costeremo
2. costate	costavate	costerete
3. costano	costavano	costeranno

PASSATO REMOTO	*PASSATO PROSSIMO*	PLUPERFECT
1. costai	sono costato/a	ero costato/a
2. costasti	sei costato/a	eri costato/a
3. costò	è costato/a	era costato/a
1. costammo	siamo costati/e	eravamo costati/e
2. costaste	siete costati/e	eravate costati/e
3. costarono	sono costati/e	erano costati/e

PAST ANTERIOR
fui costato/a *etc*

FUTURE PERFECT
sarò costato/a *etc*

CONDITIONAL

PRESENT	PAST
1. costerei	sarei costato/a
2. costeresti	saresti costato/a
3. costerebbe	sarebbe costato/a
1. costeremmo	saremmo costati/e
2. costereste	sareste costati/e
3. costerebbero	sarebbero costati/e

IMPERATIVE

costa
costi
costiamo
costate
costino

SUBJUNCTIVE

PRESENT	IMPERFECT	PLUPERFECT
1. costi	costassi	fossi costato/a
2. costi	costassi	fossi costato/a
3. costi	costasse	fosse costato/a
1. costiamo	costassimo	fossimo costati/e
2. costiate	costaste	foste costati/e
3. costino	costassero	fossero costati/e

PASSATO PROSSIMO sia costato/a *etc*

INFINITIVE

PRESENT
costare

PAST
esser(e) costato/a/i/e

GERUND

costando

PAST PARTICIPLE

costato/a/i/e

COSTRUIRE
to build 60

	PRESENT	IMPERFECT	FUTURE
1.	costruisco	costruivo	costruirò
2.	costruisci	costruivi	costruirai
3.	costruisce	costruiva	costruirà
1.	costruiamo	costruivamo	costruiremo
2.	costruite	costruivate	costruirete
3.	costruiscono	costruivano	costruiranno

	PASSATO REMOTO	*PASSATO PROSSIMO*	PLUPERFECT
1.	costruii/costrussi	ho costruito	avevo costruito
2.	costruisti	hai costruito	avevi costruito
3.	costruì/costrusse	ha costruito	aveva costruito
1.	costruimmo	abbiamo costruito	avevamo costruito
2.	costruiste	avete costruito	avevate costruito
3.	costruirono/costrussero	hanno costruito	avevano costruito

PAST ANTERIOR
ebbi costruito *etc*

FUTURE PERFECT
avrò costruito *etc*

CONDITIONAL

	PRESENT	PAST
1.	costruirei	avrei costruito
2.	costruiresti	avresti costruito
3.	costruirebbe	avrebbe costruito
1.	costruiremmo	avremmo costruito
2.	costruireste	avreste costruito
3.	costruirebbero	avrebbero costruito

IMPERATIVE

costruisci
costruisca
costruiamo
costruite
costruiscano

SUBJUNCTIVE

	PRESENT	IMPERFECT	PLUPERFECT
1.	costruisca	costruissi	avessi costruito
2.	costruisca	costruissi	avessi costruito
3.	costruisca	costruisse	avesse costruito
1.	costruiamo	costruissimo	avessimo costruito
2.	costruiate	costruiste	aveste costruito
3.	costruiscano	costruissero	avessero costruito

PASSATO PROSSIMO abbia costruito *etc*

INFINITIVE

PRESENT
costruire

PAST
aver(e) costruito

GERUND

costruendo

PAST PARTICIPLE

costruito

CREDERE
61 *to believe*

PRESENT	IMPERFECT	FUTURE
1. credo	credevo	crederò
2. credi	credevi	crederai
3. crede	credeva	crederà
1. crediamo	credevamo	crederemo
2. credete	credevate	crederete
3. credono	credevano	crederanno

PASSATO REMOTO	*PASSATO PROSSIMO*	PLUPERFECT
1. credei/credetti	ho creduto	avevo creduto
2. credesti	hai creduto	avevi creduto
3. credé/credette	ha creduto	aveva creduto
1. credemmo	abbiamo creduto	avevamo creduto
2. credeste	avete creduto	avevate creduto
3. crederono/credettero	hanno creduto	avevano creduto

PAST ANTERIOR		FUTURE PERFECT
ebbi creduto *etc*		avrò creduto *etc*

CONDITIONAL / *IMPERATIVE*

PRESENT	PAST	IMPERATIVE
1. crederei	avrei creduto	
2. crederesti	avresti creduto	credi
3. crederebbe	avrebbe creduto	creda
1. crederemmo	avremmo creduto	crediamo
2. credereste	avreste creduto	credete
3. crederebbero	avrebbero creduto	credano

SUBJUNCTIVE

PRESENT	IMPERFECT	PLUPERFECT
1. creda	credessi	avessi creduto
2. creda	credessi	avessi creduto
3. creda	credesse	avesse creduto
1. crediamo	credessimo	avessimo creduto
2. crediate	credeste	aveste creduto
3. credano	credessero	avessero creduto

PASSATO PROSSIMO abbia creduto *etc*

INFINITIVE / *GERUND* / *PAST PARTICIPLE*

INFINITIVE	GERUND	PAST PARTICIPLE
PRESENT	credendo	creduto
credere		
PAST		
aver(e) creduto		

PRESENT	IMPERFECT	FUTURE
1. cresco	crescevo	crescerò
2. cresci	crescevi	crescerai
3. cresce	cresceva	crescerà
1. cresciamo	crescevamo	cresceremo
2. crescete	crescevate	crescerete
3. crescono	crescevano	cresceranno

PASSATO REMOTO	*PASSATO PROSSIMO*	PLUPERFECT
1. crebbi	sono cresciuto/a	ero cresciuto/a
2. crescesti	sei cresciuto/a	eri cresciuto/a
3. crebbe	è cresciuto/a	era cresciuto/a
1. crescemmo	siamo cresciuti/e	eravamo cresciuti/e
2. cresceste	siete cresciuti/e	eravate cresciuti/e
3. crebbero	sono cresciuti/e	erano cresciuti/e

PAST ANTERIOR
fui cresciuto/a *etc*

FUTURE PERFECT
sarò cresciuto/a *etc*

CONDITIONAL

PRESENT	PAST
1. crescerei	sarei cresciuto/a
2. cresceresti	saresti cresciuto/a
3. crescerebbe	sarebbe cresciuto/a
1. cresceremmo	saremmo cresciuti/e
2. crescereste	sareste cresciuti/e
3. crescerebbero	sarebbero cresciuti/e

IMPERATIVE

cresci
cresca
cresciamo
crescete
crescano

SUBJUNCTIVE

PRESENT	IMPERFECT	PLUPERFECT
1. cresca	crescessi	fossi cresciuto/a
2. cresca	crescessi	fossi cresciuto/a
3. cresca	crescesse	fosse cresciuto/a
1. cresciamo	crescessimo	fossimo cresciuti/e
2. cresciate	cresceste	foste cresciuti/e
3. crescano	crescessero	fossero cresciuti/e

PASSATO PROSSIMO sia cresciuto/a *etc*

INFINITIVE

PRESENT
crescere

PAST
esser(e) cresciuto/a/i/e

GERUND

crescendo

PAST PARTICIPLE

cresciuto/a/i/e

CUCIRE 63 *to sew*

PRESENT	IMPERFECT	FUTURE
1. cucio	cucivo	cucirò
2. cuci	cucivi	cucirai
3. cuce	cuciva	cucirà
1. cuciamo	cucivamo	cuciremo
2. cucite	cucivate	cucirete
3. cuciono	cucivano	cuciranno

PASSATO REMOTO	*PASSATO PROSSIMO*	PLUPERFECT
1. cucii	ho cucito	avevo cucito
2. cucisti	hai cucito	avevi cucito
3. cucì	ha cucito	aveva cucito
1. cucimmo	abbiamo cucito	avevamo cucito
2. cuciste	avete cucito	avevate cucito
3. cucirono	hanno cucito	avevano cucito

PAST ANTERIOR
ebbi cucito *etc*

FUTURE PERFECT
avrò cucito *etc*

CONDITIONAL

PRESENT	PAST
1. cucirei	avrei cucito
2. cuciresti	avresti cucito
3. cucirebbe	avrebbe cucito
1. cuciremmo	avremmo cucito
2. cucireste	avreste cucito
3. cucirebbero	avrebbero cucito

IMPERATIVE

cuci
cucia
cuciamo
cucite
cuciano

SUBJUNCTIVE

PRESENT	IMPERFECT	PLUPERFECT
1. cucia	cucissi	avessi cucito
2. cucia	cucissi	avessi cucito
3. cucia	cucisse	avesse cucito
1. cuciamo	cucissimo	avessimo cucito
2. cuciate	cuciste	aveste cucito
3. cuciano	cucissero	avessero cucito

PASSATO PROSSIMO abbia cucito *etc*

INFINITIVE

PRESENT
cucire

PAST
aver(e) cucito

GERUND

cucendo

PAST PARTICIPLE

cucito

PRESENT	IMPERFECT	FUTURE
1. cuocio	cocevo	cocerò
2. cuoci	cocevi	cocerai
3. cuoce	coceva	cocerà
1. cociamo	cocevamo	coceremo
2. cocete	cocevate	cocerete
3. cuociono	cocevano	coceranno

PASSATO REMOTO	*PASSATO PROSSIMO*	PLUPERFECT
1. cossi	ho cotto	avevo cotto
2. cocesti	hai cotto	avevi cotto
3. cosse	ha cotto	aveva cotto
1. cocemmo	abbiamo cotto	avevamo cotto
2. coceste	avete cotto	avevate cotto
3. cossero	hanno cotto	avevano cotto

PAST ANTERIOR		FUTURE PERFECT
ebbi cotto *etc*		avrò cotto *etc*

CONDITIONAL / *IMPERATIVE*

PRESENT	PAST	IMPERATIVE
1. cocerei	avrei cotto	
2. coceresti	avresti cotto	cuoci
3. cocerebbe	avrebbe cotto	cuocia
1. coceremmo	avremmo cotto	cociamo
2. cocereste	avreste cotto	cocete
3. cocerebbero	avrebbero cotto	cuociano

SUBJUNCTIVE

PRESENT	IMPERFECT	PLUPERFECT
1. cuocia	cocessi	avessi cotto
2. cuocia	cocessi	avessi cotto
3. cuocia	cocesse	avesse cotto
1. cociamo	cocessimo	avessimo cotto
2. cociate	coceste	aveste cotto
3. cuociano	cocessero	avessero cotto

PASSATO PROSSIMO abbia cotto *etc*

INFINITIVE	*GERUND*	*PAST PARTICIPLE*
PRESENT	cocendo	cotto/cociuto
cuocere		

PAST
aver(e) cotto/cociuto

Note that the past participle **cociuto** is only used when **cuocere** means 'to vex'.

DARE 65 *to give*

PRESENT	**IMPERFECT**	**FUTURE**
1. do	davo	darò
2. dai	davi	darai
3. dà	dava	darà
1. diamo	davamo	daremo
2. date	davate	darete
3. danno	davano	daranno
PASSATO REMOTO	***PASSATO PROSSIMO***	**PLUPERFECT**
1. diedi/detti	ho dato	avevo dato
2. desti	hai dato	avevi dato
3. diede/dette	ha dato	aveva dato
1. demmo	abbiamo dato	avevamo dato
2. deste	avete dato	avevate dato
3. diedero/dettero	hanno dato	avevano dato
PAST ANTERIOR		**FUTURE PERFECT**
ebbi dato *etc*		avrò dato *etc*

CONDITIONAL / *IMPERATIVE*

PRESENT	**PAST**	
1. darei	avrei dato	
2. daresti	avresti dato	dà/dai/da'
3. darebbe	avrebbe dato	dia
1. daremmo	avremmo dato	diamo
2. dareste	avreste dato	date
3. darebbero	avrebbero dato	diano

SUBJUNCTIVE

PRESENT	**IMPERFECT**	**PLUPERFECT**
1. dia	dessi	avessi dato
2. dia	dessi	avessi dato
3. dia	desse	avesse dato
1. diamo	dessimo	avessimo dato
2. diate	deste	aveste dato
3. diano	dessero	avessero dato

PASSATO PROSSIMO abbia dato *etc*

INFINITIVE	*GERUND*	*PAST PARTICIPLE*
PRESENT	dando	dato
dare		
PAST		
aver(e) dato		

PRESENT	**IMPERFECT**	**FUTURE**
1. decido	decidevo	deciderò
2. decidi	decidevi	deciderai
3. decide	decideva	deciderà
1. decidiamo	decidevamo	decideremo
2. decidete	decidevate	deciderete
3. decidono	decidevano	decideranno
PASSATO REMOTO	***PASSATO PROSSIMO***	**PLUPERFECT**
1. decisi	ho deciso	avevo deciso
2. decidesti	hai deciso	avevi deciso
3. decise	ha deciso	aveva deciso
1. decidemmo	abbiamo deciso	avevamo deciso
2. decideste	avete deciso	avevate deciso
3. decisero	hanno deciso	avevano deciso
PAST ANTERIOR		**FUTURE PERFECT**
ebbi deciso *etc*		avrò deciso *etc*

CONDITIONAL		*IMPERATIVE*
PRESENT	**PAST**	
1. deciderei	avrei deciso	
2. decideresti	avresti deciso	decidi
3. deciderebbe	avrebbe deciso	decida
1. decideremmo	avremmo deciso	decidiamo
2. decidereste	avreste deciso	decidete
3. deciderebbero	avrebbero deciso	decidano

SUBJUNCTIVE		
PRESENT	**IMPERFECT**	**PLUPERFECT**
1. decida	decidessi	avessi deciso
2. decida	decidessi	avessi deciso
3. decida	decidesse	avesse deciso
1. decidiamo	decidessimo	avessimo deciso
2. decidiate	decideste	aveste deciso
3. decidano	decidessero	avessero deciso
PASSATO PROSSIMO	abbia deciso *etc*	

INFINITIVE	*GERUND*	*PAST PARTICIPLE*
PRESENT	decidendo	deciso
decidere		
PAST		
aver(e) deciso		

DEFINIRE
67 *to define*

PRESENT	**IMPERFECT**	**FUTURE**
1. definisco	definivo	definirò
2. definisci	definivi	definirai
3. definisce	definiva	definirà
1. definiamo	definivamo	definiremo
2. definite	definivate	definirete
3. definiscono	definivano	definiranno
PASSATO REMOTO	***PASSATO PROSSIMO***	**PLUPERFECT**
1. definii	ho definito	avevo definito
2. definisti	hai definito	avevi definito
3. definì	ha definito	aveva definito
1. definimmo	abbiamo definito	avevamo definito
2. definiste	avete definito	avevate definito
3. definirono	hanno definito	avevano definito
PAST ANTERIOR		**FUTURE PERFECT**
ebbi definito *etc*		avrò definito *etc*

CONDITIONAL		*IMPERATIVE*
PRESENT	**PAST**	
1. definirei	avrei definito	
2. definiresti	avresti definito	definisci
3. definirebbe	avrebbe definito	definisca
1. definiremmo	avremmo definito	definiamo
2. definireste	avreste definito	definite
3. definirebbero	avrebbero definito	definiscano

SUBJUNCTIVE		
PRESENT	**IMPERFECT**	**PLUPERFECT**
1. definisca	definissi	avessi definito
2. definisca	definissi	avessi definito
3. definisca	definisse	avesse definito
1. definiamo	definissimo	avessimo definito
2. definiate	definiste	aveste definito
3. definiscano	definissero	avessero definito
PASSATO PROSSIMO	abbia definito *etc*	

INFINITIVE	*GERUND*	*PAST PARTICIPLE*
PRESENT	definendo	definito
definire		
PAST		
aver(e) definito		

PRESENT	IMPERFECT	FUTURE
1. descrivo	descrivevo	descriverò
2. descrivi	descrivevi	descriverai
3. descrive	descriveva	descriverà
1. descriviamo	descrivevamo	descriveremo
2. descrivete	descrivevate	descriverete
3. descrivono	descrivevano	descriveranno

PASSATO REMOTO	*PASSATO PROSSIMO*	PLUPERFECT
1. descrissi	ho descritto	avevo descritto
2. descrivesti	hai descritto	avevi descritto
3. descrisse	ha descritto	aveva descritto
1. descrivemmo	abbiamo descritto	avevamo descritto
2. descriveste	avete descritto	avevate descritto
3. descrissero	hanno descritto	avevano descritto

PAST ANTERIOR		FUTURE PERFECT
ebbi descritto *etc*		avrò descritto *etc*

CONDITIONAL / *IMPERATIVE*

PRESENT	PAST	IMPERATIVE
1. descriverei	avrei descritto	
2. descriveresti	avresti descritto	descrivi
3. descriverebbe	avrebbe descritto	descriva
1. descriveremmo	avremmo descritto	descriviamo
2. descrivereste	avreste descritto	descrivete
3. descriverebbero	avrebbero descritto	descrivano

SUBJUNCTIVE

PRESENT	IMPERFECT	PLUPERFECT
1. descriva	descrivessi	avessi descritto
2. descriva	descrivessi	avessi descritto
3. descriva	descrivesse	avesse descritto
1. descriviamo	descrivessimo	avessimo descritto
2. descriviate	descriveste	aveste descritto
3. descrivano	descrivessero	avessero descritto

PASSATO PROSSIMO abbia descritto *etc*

INFINITIVE	*GERUND*	*PAST PARTICIPLE*
PRESENT	descrivendo	descritto
descrivere		
PAST		
aver(e) descritto		

DESIDERARE
69 *to wish; to want*

PRESENT	IMPERFECT	FUTURE
1. desidero	desideravo	desidererò
2. desideri	desideravi	desidererai
3. desidera	desiderava	desidererà
1. desideriamo	desideravamo	desidereremo
2. desiderate	desideravate	desidererete
3. desiderano	desideravano	desidereranno

PASSATO REMOTO	*PASSATO PROSSIMO*	PLUPERFECT
1. desiderai	ho desiderato	avevo desiderato
2. desiderasti	hai desiderato	avevi desiderato
3. desiderò	ha desiderato	aveva desiderato
1. desiderammo	abbiamo desiderato	avevamo desiderato
2. desideraste	avete desiderato	avevate desiderato
3. desiderarono	hanno desiderato	avevano desiderato

PAST ANTERIOR
ebbi desiderato *etc*

FUTURE PERFECT
avrò desiderato *etc*

CONDITIONAL / *IMPERATIVE*

PRESENT	PAST	IMPERATIVE
1. desidererei	avrei desiderato	
2. desidereresti	avresti desiderato	desidera
3. desidererebbe	avrebbe desiderato	desideri
1. desidereremmo	avremmo desiderato	desideriamo
2. desiderereste	avreste desiderato	desiderate
3. desidererebbero	avrebbero desiderato	desiderino

SUBJUNCTIVE

PRESENT	IMPERFECT	PLUPERFECT
1. desideri	desiderassi	avessi desiderato
2. desideri	desiderassi	avessi desiderato
3. desideri	desiderasse	avesse desiderato
1. desideriamo	desiderassimo	avessimo desiderato
2. desideriate	desideraste	aveste desiderato
3. desiderino	desiderassero	avessero desiderato

PASSATO PROSSIMO abbia desiderato *etc*

INFINITIVE / *GERUND* / *PAST PARTICIPLE*

PRESENT
desiderare

PAST
aver(e) desiderato

GERUND: desiderando

PAST PARTICIPLE: desiderato

PRESENT	IMPERFECT	FUTURE
1. difendo	difendevo	difenderò
2. difendi	difendevi	difenderai
3. difende	difendeva	difenderà
1. difendiamo	difendevamo	difenderemo
2. difendete	difendevate	difenderete
3. difendono	difendevano	difenderanno
PASSATO REMOTO	***PASSATO PROSSIMO***	**PLUPERFECT**
1. difesi	ho difeso	avevo difeso
2. difendesti	hai difeso	avevi difeso
3. difese	ha difeso	aveva difeso
1. difendemmo	abbiamo difeso	avevamo difeso
2. difendeste	avete difeso	avevate difeso
3. difesero	hanno difeso	avevano difeso
PAST ANTERIOR		**FUTURE PERFECT**
ebbi difeso *etc*		avrò difeso *etc*

CONDITIONAL / *IMPERATIVE*

PRESENT	PAST	
1. difenderei	avrei difeso	
2. difenderesti	avresti difeso	difendi
3. difenderebbe	avrebbe difeso	difenda
1. difenderemmo	avremmo difeso	difendiamo
2. difendereste	avreste difeso	difendete
3. difenderebbero	avrebbero difeso	difendano

SUBJUNCTIVE

PRESENT	IMPERFECT	PLUPERFECT
1. difenda	difendessi	avessi difeso
2. difenda	difendessi	avessi difeso
3. difenda	difendesse	avesse difeso
1. difendiamo	difendessimo	avessimo difeso
2. difendiate	difendeste	aveste difeso
3. difendano	difendessero	avessero difeso

PASSATO PROSSIMO abbia difeso *etc*

INFINITIVE	*GERUND*	*PAST PARTICIPLE*
PRESENT	difendendo	difeso
difendere		
PAST		
aver(e) difeso		

DIFFONDERE
71 *to spread; to broadcast*

PRESENT	IMPERFECT	FUTURE
1. diffondo	diffondevo	diffonderò
2. diffondi	diffondevi	diffonderai
3. diffonde	diffondeva	diffonderà
1. diffondiamo	diffondevamo	diffonderemo
2. diffondete	diffondevate	diffonderete
3. diffondono	diffondevano	diffonderanno

PASSATO REMOTO	*PASSATO PROSSIMO*	PLUPERFECT
1. diffusi	ho diffuso	avevo diffuso
2. diffondesti	hai diffuso	avevi diffuso
3. diffuse	ha diffuso	aveva diffuso
1. diffondemmo	abbiamo diffuso	avevamo diffuso
2. diffondeste	avete diffuso	avevate diffuso
3. diffusero	hanno diffuso	avevano diffuso

PAST ANTERIOR
ebbi diffuso *etc*

FUTURE PERFECT
avrò diffuso *etc*

CONDITIONAL / *IMPERATIVE*

PRESENT	PAST	IMPERATIVE
1. diffonderei	avrei diffuso	
2. diffonderesti	avresti diffuso	diffondi
3. diffonderebbe	avrebbe diffuso	diffonda
1. diffonderemmo	avremmo diffuso	diffondiamo
2. diffondereste	avreste diffuso	diffondete
3. diffonderebbero	avrebbero diffuso	diffondano

SUBJUNCTIVE

PRESENT	IMPERFECT	PLUPERFECT
1. diffonda	diffondessi	avessi diffuso
2. diffonda	diffondessi	avessi diffuso
3. diffonda	diffondesse	avesse diffuso
1. diffondiamo	diffondessimo	avessimo diffuso
2. diffondiate	diffondeste	aveste diffuso
3. diffondano	diffondessero	avessero diffuso

PASSATO PROSSIMO abbia diffuso *etc*

INFINITIVE / *GERUND* / *PAST PARTICIPLE*

PRESENT
diffondere

PAST
aver(e) diffuso

GERUND: diffondendo

PAST PARTICIPLE: diffuso

PRESENT	IMPERFECT	FUTURE
1. dimentico	dimenticavo	dimenticherò
2. dimentichi	dimenticavi	dimenticherai
3. dimentica	dimenticava	dimenticherà
1. dimentichiamo	dimenticavamo	dimenticheremo
2. dimenticate	dimenticavate	dimenticherete
3. dimenticano	dimenticavano	dimenticheranno
PASSATO REMOTO	***PASSATO PROSSIMO***	**PLUPERFECT**
1. dimenticai	ho dimenticato	avevo dimenticato
2. dimenticasti	hai dimenticato	avevi dimenticato
3. dimenticò	ha dimenticato	aveva dimenticato
1. dimenticammo	abbiamo dimenticato	avevamo dimenticato
2. dimenticaste	avete dimenticato	avevate dimenticato
3. dimenticarono	hanno dimenticato	avevano dimenticato
PAST ANTERIOR		**FUTURE PERFECT**
ebbi dimenticato *etc*		avrò dimenticato *etc*

CONDITIONAL / *IMPERATIVE*

PRESENT	PAST	IMPERATIVE
1. dimenticherei	avrei dimenticato	
2. dimenticheresti	avresti dimenticato	dimentica
3. dimenticherebbe	avrebbe dimenticato	dimentichi
1. dimenticheremmo	avremmo dimenticato	dimentichiamo
2. dimentichereste	avreste dimenticato	dimenticate
3. dimenticherebbero	avrebbero dimenticato	dimentichino

SUBJUNCTIVE

PRESENT	IMPERFECT	PLUPERFECT
1. dimentichi	dimenticassi	avessi dimenticato
2. dimentichi	dimenticassi	avessi dimenticato
3. dimentichi	dimenticasse	avesse dimenticato
1. dimentichiamo	dimenticassimo	avessimo dimenticato
2. dimentichiate	dimenticaste	aveste dimenticato
3. dimentichino	dimenticassero	avessero dimenticato

PASSATO PROSSIMO abbia dimenticato *etc*

INFINITIVE	*GERUND*	*PAST PARTICIPLE*
PRESENT	dimenticando	dimenticato
dimenticare		
PAST		
aver(e) dimenticato		

DIPENDERE

73 *to depend*

PRESENT	IMPERFECT	FUTURE
1. dipendo	dipendevo	dipenderò
2. dipendi	dipendevi	dipenderai
3. dipende	dipendeva	dipenderà
1. dipendiamo	dipendevamo	dipenderemo
2. dipendete	dipendevate	dipenderete
3. dipendono	dipendevano	dipenderanno
PASSATO REMOTO	***PASSATO PROSSIMO***	**PLUPERFECT**
1. dipesi	sono dipeso/a	ero dipeso/a
2. dipendesti	sei dipeso/a	eri dipeso/a
3. dipese	è dipeso/a	era dipeso/a
1. dipendemmo	siamo dipesi/e	eravamo dipesi/e
2. dipendeste	siete dipesi/e	eravate dipesi/e
3. dipesero	sono dipesi/e	erano dipesi/e
PAST ANTERIOR		**FUTURE PERFECT**
fui dipeso/a *etc*		sarò dipeso/a *etc*

CONDITIONAL / *IMPERATIVE*

PRESENT	PAST	IMPERATIVE
1. dipenderei	sarei dipeso/a	
2. dipenderesti	saresti dipeso/a	dipendi
3. dipenderebbe	sarebbe dipeso/a	dipenda
1. dipenderemmo	saremmo dipesi/e	dipendiamo
2. dipendereste	sareste dipesi/e	dipendete
3. dipenderebbero	sarebbero dipesi/e	dipendano

SUBJUNCTIVE

PRESENT	IMPERFECT	PLUPERFECT
1. dipenda	dipendessi	fossi dipeso/a
2. dipenda	dipendessi	fossi dipeso/a
3. dipenda	dipendesse	fosse dipeso/a
1. dipendiamo	dipendessimo	fossimo dipesi/e
2. dipendiate	dipendeste	foste dipesi/e
3. dipendano	dipendessero	fossero dipesi/e

PASSATO PROSSIMO sia dipeso/a *etc*

INFINITIVE / *GERUND* / *PAST PARTICIPLE*

PRESENT
dipendere

PAST
esser(e) dipeso/a/i/e

GERUND: dipendendo

PAST PARTICIPLE: dipeso/a/i/e

PRESENT	IMPERFECT	FUTURE
1. dipingo	dipingevo	dipingerò
2. dipingi	dipingevi	dipingerai
3. dipinge	dipingeva	dipingerà
1. dipingiamo	dipingevamo	dipingeremo
2. dipingete	dipingevate	dipingerete
3. dipingono	dipingevano	dipingeranno
PASSATO REMOTO	***PASSATO PROSSIMO***	**PLUPERFECT**
1. dipinsi	ho dipinto	avevo dipinto
2. dipingesti	hai dipinto	avevi dipinto
3. dipinse	ha dipinto	aveva dipinto
1. dipingemmo	abbiamo dipinto	avevamo dipinto
2. dipingeste	avete dipinto	avevate dipinto
3. dipinsero	hanno dipinto	avevano dipinto
PAST ANTERIOR		**FUTURE PERFECT**
ebbi dipinto *etc*		avrò dipinto *etc*

CONDITIONAL / *IMPERATIVE*

PRESENT	PAST	IMPERATIVE
1. dipingerei	avrei dipinto	
2. dipingeresti	avresti dipinto	dipingi
3. dipingerebbe	avrebbe dipinto	dipinga
1. dipingeremmo	avremmo dipinto	dipingiamo
2. dipingereste	avreste dipinto	dipingete
3. dipingerebbero	avrebbero dipinto	dipingano

SUBJUNCTIVE

PRESENT	IMPERFECT	PLUPERFECT
1. dipinga	dipingessi	avessi dipinto
2. dipinga	dipingessi	avessi dipinto
3. dipinga	dipingesse	avesse dipinto
1. dipingiamo	dipingessimo	avessimo dipinto
2. dipingiate	dipingeste	aveste dipinto
3. dipingano	dipingessero	avessero dipinto

PASSATO PROSSIMO abbia dipinto *etc*

INFINITIVE / *GERUND* / *PAST PARTICIPLE*

INFINITIVE	GERUND	PAST PARTICIPLE
PRESENT	dipingendo	dipinto
dipingere		
PAST		
aver(e) dipinto		

DIRE 75 *to say; to tell*

PRESENT	IMPERFECT	FUTURE
1. dico	dicevo	dirò
2. dici	dicevi	dirai
3. dice	diceva	dirà
1. diciamo	dicevamo	diremo
2. dite	dicevate	direte
3. dicono	dicevano	diranno

PASSATO REMOTO	*PASSATO PROSSIMO*	PLUPERFECT
1. dissi	ho detto	avevo detto
2. dicesti	hai detto	avevi detto
3. disse	ha detto	aveva detto
1. dicemmo	abbiamo detto	avevamo detto
2. diceste	avete detto	avevate detto
3. dissero	hanno detto	avevano detto

PAST ANTERIOR		FUTURE PERFECT
ebbi detto *etc*		avrò detto *etc*

CONDITIONAL / *IMPERATIVE*

PRESENT	PAST	IMPERATIVE
1. direi	avrei detto	
2. diresti	avresti detto	di' *or* dì
3. direbbe	avrebbe detto	dica
1. diremmo	avremmo detto	diciamo
2. direste	avreste detto	dite
3. direbbero	avrebbero detto	dicano

SUBJUNCTIVE

PRESENT	IMPERFECT	PLUPERFECT
1. dica	dicessi	avessi detto
2. dica	dicessi	avessi detto
3. dica	dicesse	avesse detto
1. diciamo	dicessimo	avessimo detto
2. diciate	diceste	aveste detto
3. dicano	dicessero	avessero detto

PASSATO PROSSIMO abbia detto *etc*

INFINITIVE	*GERUND*	*PAST PARTICIPLE*
PRESENT	dicendo	detto
dire		
PAST		
aver(e) detto		

PRESENT	IMPERFECT	FUTURE
1. dirigo	dirigevo	dirigerò
2. dirigi	dirigevi	dirigerai
3. dirige	dirigeva	dirigerà
1. dirigiamo	dirigevamo	dirigeremo
2. dirigete	dirigevate	dirigerete
3. dirigono	dirigevano	dirigeranno

PASSATO REMOTO	*PASSATO PROSSIMO*	PLUPERFECT
1. diressi	ho diretto	avevo diretto
2. dirigesti	hai diretto	avevi diretto
3. diresse	ha diretto	aveva diretto
1. dirigemmo	abbiamo diretto	avevamo diretto
2. dirigeste	avete diretto	avevate diretto
3. diressero	hanno diretto	avevano diretto

PAST ANTERIOR		FUTURE PERFECT
ebbi diretto *etc*		avrò diretto *etc*

CONDITIONAL / *IMPERATIVE*

PRESENT	PAST	IMPERATIVE
1. dirigerei	avrei diretto	
2. dirigeresti	avresti diretto	dirigi
3. dirigerebbe	avrebbe diretto	diriga
1. dirigeremmo	avremmo diretto	dirigiamo
2. dirigereste	avreste diretto	dirigete
3. dirigerebbero	avrebbero diretto	dirigano

SUBJUNCTIVE

PRESENT	IMPERFECT	PLUPERFECT
1. diriga	dirigessi	avessi diretto
2. diriga	dirigessi	avessi diretto
3. diriga	dirigesse	avesse diretto
1. dirigiamo	dirigessimo	avessimo diretto
2. dirigiate	dirigeste	aveste diretto
3. dirigano	dirigessero	avessero diretto

PASSATO PROSSIMO abbia diretto *etc*

INFINITIVE / *GERUND* / *PAST PARTICIPLE*

INFINITIVE	GERUND	PAST PARTICIPLE
PRESENT	dirigendo	diretto
dirigere		
PAST		
aver(e) diretto		

DISCUTERE
77 *to discuss*

PRESENT	**IMPERFECT**	**FUTURE**
1. discuto	discutevo	discuterò
2. discuti	discutevi	discuterai
3. discute	discuteva	discuterà
1. discutiamo	discutevamo	discuteremo
2. discutete	discutevate	discuterete
3. discutono	discutevano	discuteranno
PASSATO REMOTO	***PASSATO PROSSIMO***	**PLUPERFECT**
1. discussi	ho discusso	avevo discusso
2. discutesti	hai discusso	avevi discusso
3. discusse	ha discusso	aveva discusso
1. discutemmo	abbiamo discusso	avevamo discusso
2. discuteste	avete discusso	avevate discusso
3. discussero	hanno discusso	avevano discusso
PAST ANTERIOR		**FUTURE PERFECT**
ebbi discusso *etc*		avrò discusso *etc*

CONDITIONAL / *IMPERATIVE*

PRESENT	**PAST**	
1. discuterei	avrei discusso	
2. discuteresti	avresti discusso	discuti
3. discuterebbe	avrebbe discusso	discuta
1. discuteremmo	avremmo discusso	discutiamo
2. discutereste	avreste discusso	discutete
3. discuterebbero	avrebbero discusso	discutano

SUBJUNCTIVE

PRESENT	**IMPERFECT**	**PLUPERFECT**
1. discuta	discutessi	avessi discusso
2. discuta	discutessi	avessi discusso
3. discuta	discutesse	avesse discusso
1. discutiamo	discutessimo	avessimo discusso
2. discutiate	discuteste	aveste discusso
3. discutano	discutessero	avessero discusso

PASSATO PROSSIMO abbia discusso *etc*

INFINITIVE / *GERUND* / *PAST PARTICIPLE*

INFINITIVE	*GERUND*	*PAST PARTICIPLE*
PRESENT	discutendo	discusso
discutere		
PAST		
aver(e) discusso		

PRESENT
1. distinguo
2. distingui
3. distingue
1. distinguiamo
2. distinguete
3. distinguono

IMPERFECT
distinguevo
distinguevi
distingueva
distinguevamo
distinguevate
distinguevano

FUTURE
distinguerò
distinguerai
distinguerà
distingueremo
distinguerete
distingueranno

PASSATO REMOTO
1. distinsi
2. distinguesti
3. distinse
1. distinguemmo
2. distingueste
3. distinsero

PASSATO PROSSIMO
ho distinto
hai distinto
ha distinto
abbiamo distinto
avete distinto
hanno distinto

PLUPERFECT
avevo distinto
avevi distinto
aveva distinto
avevamo distinto
avevate distinto
avevano distinto

PAST ANTERIOR
ebbi distinto *etc*

FUTURE PERFECT
avrò distinto *etc*

CONDITIONAL

PRESENT
1. distinguerei
2. distingueresti
3. distinguerebbe
1. distingueremmo
2. distinguereste
3. distinguerebbero

PAST
avrei distinto
avresti distinto
avrebbe distinto
avremmo distinto
avreste distinto
avrebbero distinto

IMPERATIVE

distingui
distingua
distinguiamo
distinguete
distinguano

SUBJUNCTIVE

PRESENT
1. distingua
2. distingua
3. distingua
1. distinguiamo
2. distinguiate
3. distinguano

IMPERFECT
distinguessi
distinguessi
distinguesse
distinguessimo
distingueste
distinguessero

PLUPERFECT
avessi distinto
avessi distinto
avesse distinto
avessimo distinto
aveste distinto
avessero distinto

PASSATO PROSSIMO abbia distinto *etc*

INFINITIVE

PRESENT
distinguere

PAST
aver(e) distinto

GERUND

distinguendo

PAST PARTICIPLE

distinto

DISTRUGGERE
79 *to destroy*

PRESENT	IMPERFECT	FUTURE
1. distruggo	distruggevo	distruggerò
2. distruggi	distruggevi	distruggerai
3. distrugge	distruggeva	distruggerà
1. distruggiamo	distruggevamo	distruggeremo
2. distruggete	distruggevate	distruggerete
3. distruggono	distruggevano	distruggeranno

PASSATO REMOTO	*PASSATO PROSSIMO*	PLUPERFECT
1. distrussi	ho distrutto	avevo distrutto
2. distruggesti	hai distrutto	avevi distrutto
3. distrusse	ha distrutto	aveva distrutto
1. distruggemmo	abbiamo distrutto	avevamo distrutto
2. distruggeste	avete distrutto	avevate distrutto
3. distrussero	hanno distrutto	avevano distrutto

PAST ANTERIOR		FUTURE PERFECT
ebbi distrutto *etc*		avrò distrutto *etc*

CONDITIONAL / *IMPERATIVE*

PRESENT	PAST	IMPERATIVE
1. distruggerei	avrei distrutto	
2. distruggeresti	avresti distrutto	distruggi
3. distruggerebbe	avrebbe distrutto	distrugga
1. distruggeremmo	avremmo distrutto	distruggiamo
2. distruggereste	avreste distrutto	distruggete
3. distruggerebbero	avrebbero distrutto	distruggano

SUBJUNCTIVE

PRESENT	IMPERFECT	PLUPERFECT
1. distrugga	distruggessi	avessi distrutto
2. distrugga	distruggessi	avessi distrutto
3. distrugga	distruggesse	avesse distrutto
1. distruggiamo	distruggessimo	avessimo distrutto
2. distruggiate	distruggeste	aveste distrutto
3. distruggano	distruggessero	avessero distrutto

PASSATO PROSSIMO abbia distrutto *etc*

INFINITIVE / *GERUND* / *PAST PARTICIPLE*

INFINITIVE	GERUND	PAST PARTICIPLE
PRESENT	distruggendo	distrutto
distruggere		
PAST		
aver(e) distrutto		

PRESENT	IMPERFECT	FUTURE
1. divento	diventavo	diventerò
2. diventi	diventavi	diventerai
3. diventa	diventava	diventerà
1. diventiamo	diventavamo	diventeremo
2. diventate	diventavate	diventerete
3. diventano	diventavano	diventeranno

PASSATO REMOTO	*PASSATO PROSSIMO*	PLUPERFECT
1. diventai	sono diventato/a	ero diventato/a
2. diventasti	sei diventato/a	eri diventato/a
3. diventò	è diventato/a	era diventato/a
1. diventammo	siamo diventati/e	eravamo diventati/e
2. diventaste	siete diventati/e	eravate diventati/e
3. diventarono	sono diventati/e	erano diventati/e

PAST ANTERIOR		FUTURE PERFECT
fui diventato/a *etc*		sarò diventato/a *etc*

CONDITIONAL / *IMPERATIVE*

PRESENT	PAST	IMPERATIVE
1. diventerei	sarei diventato/a	
2. diventeresti	saresti diventato/a	diventa
3. diventerebbe	sarebbe diventato/a	diventi
1. diventeremmo	saremmo diventati/e	diventiamo
2. diventereste	sareste diventati/e	diventate
3. diventerebbero	sarebbero diventati/e	diventino

SUBJUNCTIVE

PRESENT	IMPERFECT	PLUPERFECT
1. diventi	diventassi	fossi diventato/a
2. diventi	diventassi	fossi diventato/a
3. diventi	diventasse	fosse diventato/a
1. diventiamo	diventassimo	fossimo diventati/e
2. diventiate	diventaste	foste diventati/e
3. diventino	diventassero	fossero diventati/e

PASSATO PROSSIMO sia diventato/a *etc*

INFINITIVE	*GERUND*	*PAST PARTICIPLE*
PRESENT	diventando	diventato/a/i/e
diventare		
PAST		
esser(e) diventato/a/i/e		

DIVERTIRSI
81 *to enjoy oneself*

PRESENT	IMPERFECT	FUTURE
1. mi diverto	mi divertivo	mi divertirò
2. ti diverti	ti divertivi	ti divertirai
3. si diverte	si divertiva	si divertirà
1. ci divertiamo	ci divertivamo	ci divertiremo
2. vi divertite	vi divertivate	vi divertirete
3. si divertono	si divertivano	si divertiranno

PASSATO REMOTO	*PASSATO PROSSIMO*	PLUPERFECT
1. mi divertii	mi sono divertito/a	mi ero divertito/a
2. ti divertisti	ti sei divertito/a	ti eri divertito/a
3. si divertì	si è divertito/a	si era divertito/a
1. ci divertimmo	ci siamo divertiti/e	ci eravamo divertiti/e
2. vi divertiste	vi siete divertiti/e	vi eravate divertiti/e
3. si divertirono	si sono divertiti/e	si erano divertiti/e

PAST ANTERIOR
mi fui divertito/a *etc*

FUTURE PERFECT
mi sarò divertito/a *etc*

CONDITIONAL / *IMPERATIVE*

PRESENT	PAST	IMPERATIVE
1. mi divertirei	mi sarei divertito/a	
2. ti divertiresti	ti saresti divertito/a	divertiti
3. si divertirebbe	si sarebbe divertito/a	si diverta
1. ci divertiremmo	ci saremmo divertiti/e	divertiamoci
2. vi divertireste	vi sareste divertiti/e	divertitevi
3. si divertirebbero	si sarebbero divertiti/e	si divertano

SUBJUNCTIVE

PRESENT	IMPERFECT	PLUPERFECT
1. mi diverta	mi divertissi	mi fossi divertito/a
2. ti diverta	ti divertissi	ti fossi divertito/a
3. si diverta	si divertisse	si fosse divertito/a
1. ci divertiamo	ci divertissimo	ci fossimo divertiti/e
2. vi divertiate	vi divertiste	vi foste divertiti/e
3. si divertano	si divertissero	si fossero divertiti/e

PASSATO PROSSIMO mi sia divertito/a *etc*

INFINITIVE / *GERUND* / *PAST PARTICIPLE*

PRESENT
divertirsi

PAST
essersi divertito/a/i/e

GERUND: divertendomi *etc*

PAST PARTICIPLE: divertito/a/i/e

PRESENT	IMPERFECT	FUTURE
1. divido	dividevo	dividerò
2. dividi	dividevi	dividerai
3. divide	divideva	dividerà
1. dividiamo	dividevamo	divideremo
2. dividete	dividevate	dividerete
3. dividono	dividevano	divideranno
PASSATO REMOTO	***PASSATO PROSSIMO***	**PLUPERFECT**
1. divisi	ho diviso	avevo diviso
2. dividesti	hai diviso	avevi diviso
3. divise	ha diviso	aveva diviso
1. dividemmo	abbiamo diviso	avevamo diviso
2. divideste	avete diviso	avevate diviso
3. divisero	hanno diviso	avevano diviso
PAST ANTERIOR		**FUTURE PERFECT**
ebbi diviso *etc*		avrò diviso *etc*

CONDITIONAL / *IMPERATIVE*

PRESENT	PAST	IMPERATIVE
1. dividerei	avrei diviso	
2. divideresti	avresti diviso	dividi
3. dividerebbe	avrebbe diviso	divida
1. divideremmo	avremmo diviso	dividiamo
2. dividereste	avreste diviso	dividete
3. dividerebbero	avrebbero diviso	dividano

SUBJUNCTIVE

PRESENT	IMPERFECT	PLUPERFECT
1. divida	dividessi	avessi diviso
2. divida	dividessi	avessi diviso
3. divida	dividesse	avesse diviso
1. dividiamo	dividessimo	avessimo diviso
2. dividiate	divideste	aveste diviso
3. dividano	dividessero	avessero diviso

PASSATO PROSSIMO abbia diviso *etc*

INFINITIVE	*GERUND*	*PAST PARTICIPLE*
PRESENT	dividendo	diviso
dividere		
PAST		
aver(e) diviso		

DOLERE
83 *to ache*

PRESENT	IMPERFECT	FUTURE
1. dolgo	dolevo	dorrò
2. duoli	dolevi	dorrai
3. duole	doleva	dorrà
1. doliamo/dogliamo	dolevamo	dorremo
2. dolete	dolevate	dorrete
3. dolgono	dolevano	dorranno
PASSATO REMOTO	***PASSATO PROSSIMO***	**PLUPERFECT**
1. dolsi	sono doluto/a	ero doluto/a
2. dolesti	sei doluto/a	eri doluto/a
3. dolse	è doluto/a	era doluto/a
1. dolemmo	siamo doluti/e	eravamo doluti/e
2. doleste	siete doluti/e	eravate doluti/e
3. dolsero	sono doluti/e	erano doluti/e
PAST ANTERIOR		**FUTURE PERFECT**
fui doluto/a *etc*		sarò doluto/a *etc*

CONDITIONAL / *IMPERATIVE*

PRESENT	PAST	IMPERATIVE
1. dorrei	sarei doluto/a	
2. dorresti	saresti doluto/a	duoli
3. dorrebbe	sarebbe doluto/a	dolga
1. dorremmo	saremmo doluti/e	doliamo/dogliamo
2. dorreste	sareste doluti/e	dolete
3. dorrebbero	sarebbero doluti/e	dolgano

SUBJUNCTIVE

PRESENT	IMPERFECT	PLUPERFECT
1. dolga	dolessi	fossi doluto/a
2. dolga	dolessi	fossi doluto/a
3. dolga	dolesse	fosse doluto/a
1. doliamo/dogliamo	dolessimo	fossimo doluti/e
2. doliate/dogliate	doleste	foste doluti/e
3. dolgano	dolessero	fossero doluti/e

PASSATO PROSSIMO sia doluto/a *etc*

INFINITIVE	*GERUND*	*PAST PARTICIPLE*
PRESENT	dolendo	doluto/a/i/e
dolere		
PAST		
esser(e) doluto/a/i/e		

Note that **dolere** may also take **avere** as its auxiliary.

PRESENT	IMPERFECT	FUTURE
1. domando	domandavo	domanderò
2. domandi	domandavi	domanderai
3. domanda	domandava	domanderà
1. domandiamo	domandavamo	domanderemo
2. domandate	domandavate	domanderete
3. domandano	domandavano	domanderanno
PASSATO REMOTO	***PASSATO PROSSIMO***	**PLUPERFECT**
1. domandai	ho domandato	avevo domandato
2. domandasti	hai domandato	avevi domandato
3. domandò	ha domandato	aveva domandato
1. domandammo	abbiamo domandato	avevamo domandato
2. domandaste	avete domandato	avevate domandato
3. domandarono	hanno domandato	avevano domandato
PAST ANTERIOR		**FUTURE PERFECT**
ebbi domandato *etc*		avrò domandato *etc*

CONDITIONAL / *IMPERATIVE*

PRESENT	PAST	IMPERATIVE
1. domanderei	avrei domandato	
2. domanderesti	avresti domandato	domanda
3. domanderebbe	avrebbe domandato	domandi
1. domanderemmo	avremmo domandato	domandiamo
2. domandereste	avreste domandato	domandate
3. domanderebbero	avrebbero domandato	domandino

SUBJUNCTIVE

PRESENT	IMPERFECT	PLUPERFECT
1. domandi	domandassi	avessi domandato
2. domandi	domandassi	avessi domandato
3. domandi	domandasse	avesse domandato
1. domandiamo	domandassimo	avessimo domandato
2. domandiate	domandaste	aveste domandato
3. domandino	domandassero	avessero domandato

PASSATO PROSSIMO abbia domandato *etc*

INFINITIVE / *GERUND* / *PAST PARTICIPLE*

PRESENT
domandare

PAST
aver(e) domandato

GERUND: domandando

PAST PARTICIPLE: domandato

DORMIRE
85 *to sleep*

PRESENT	**IMPERFECT**	**FUTURE**
1. dormo	dormivo	dormirò
2. dormi	dormivi	dormirai
3. dorme	dormiva	dormirà
1. dormiamo	dormivamo	dormiremo
2. dormite	dormivate	dormirete
3. dormono	dormivano	dormiranno

PASSATO REMOTO	***PASSATO PROSSIMO***	**PLUPERFECT**
1. dormii	ho dormito	avevo dormito
2. dormisti	hai dormito	avevi dormito
3. dormì	ha dormito	aveva dormito
1. dormimmo	abbiamo dormito	avevamo dormito
2. dormiste	avete dormito	avevate dormito
3. dormirono	hanno dormito	avevano dormito

PAST ANTERIOR
ebbi dormito *etc*

FUTURE PERFECT
avrò dormito *etc*

CONDITIONAL / *IMPERATIVE*

PRESENT	**PAST**	
1. dormirei	avrei dormito	
2. dormiresti	avresti dormito	dormi
3. dormirebbe	avrebbe dormito	dorma
1. dormiremmo	avremmo dormito	dormiamo
2. dormireste	avreste dormito	dormite
3. dormirebbero	avrebbero dormito	dormano

SUBJUNCTIVE

PRESENT	**IMPERFECT**	**PLUPERFECT**
1. dorma	dormissi	avessi dormito
2. dorma	dormissi	avessi dormito
3. dorma	dormisse	avesse dormito
1. dormiamo	dormissimo	avessimo dormito
2. dormiate	dormiste	aveste dormito
3. dormano	dormissero	avessero dormito

PASSATO PROSSIMO abbia dormito *etc*

INFINITIVE	*GERUND*	*PAST PARTICIPLE*
PRESENT	dormendo	dormito
dormire		
PAST		
aver(e) dormito		

PRESENT	IMPERFECT	FUTURE
1. devo/debbo	dovevo	dovrò
2. devi	dovevi	dovrai
3. deve	doveva	dovrà
1. dobbiamo	dovevamo	dovremo
2. dovete	dovevate	dovrete
3. devono/debbono	dovevano	dovranno

PASSATO REMOTO	*PASSATO PROSSIMO*	PLUPERFECT
1. dovei/dovetti	ho dovuto	avevo dovuto
2. dovesti	hai dovuto	avevi dovuto
3. dové/dovette	ha dovuto	aveva dovuto
1. dovemmo	abbiamo dovuto	avevamo dovuto
2. doveste	avete dovuto	avevate dovuto
3. doverono/dovettero	hanno dovuto	avevano dovuto

PAST ANTERIOR
ebbi dovuto *etc*

FUTURE PERFECT
avrò dovuto *etc*

CONDITIONAL

PRESENT	PAST
1. dovrei	avrei dovuto
2. dovresti	avresti dovuto
3. dovrebbe	avrebbe dovuto
1. dovremmo	avremmo dovuto
2. dovreste	avreste dovuto
3. dovrebbero	avrebbero dovuto

IMPERATIVE

SUBJUNCTIVE

PRESENT	IMPERFECT	PLUPERFECT
1. deva/debba	dovessi	avessi dovuto
2. deva/debba	dovessi	avessi dovuto
3. deva/debba	dovesse	avesse dovuto
1. dobbiamo	dovessimo	avessimo dovuto
2. dobbiate	doveste	aveste dovuto
3. devano/debbano	dovessero	avessero dovuto

PASSATO PROSSIMO abbia dovuto *etc*

INFINITIVE

PRESENT
dovere

PAST
aver(e) dovuto

GERUND

dovendo

PAST PARTICIPLE

dovuto

Note that in compound tenses, dovere takes the same auxiliary as the following verb, eg: **I had to go** sono dovuto/a andare; **I had to read** ho dovuto leggere.

DURARE
87 *to last, to endure*

PRESENT	**IMPERFECT**	**FUTURE**
1. duro	duravo	durerò
2. duri	duravi	durerai
3. dura	durava	durerà
1. duriamo	duravamo	dureremo
2. durate	duravate	durerete
3. durano	duravano	dureranno

PASSATO REMOTO	***PASSATO PROSSIMO***	**PLUPERFECT**
1. durai	sono durato/a	ero durato/a
2. durasti	sei durato/a	eri durato/a
3. durò	è durato/a	era durato/a
1. durammo	siamo durati/e	eravamo durati/e
2. duraste	siete durati/e	eravate durati/e
3. durarono	sono durati/e	erano durati/e

PAST ANTERIOR		**FUTURE PERFECT**
fui durato/a *etc*		sarò durato/a *etc*

CONDITIONAL / *IMPERATIVE*

PRESENT	**PAST**	
1. durerei	sarei durato/a	
2. dureresti	saresti durato/a	dura
3. durerebbe	sarebbe durato/a	duri
1. dureremmo	saremmo durati/e	duriamo
2. durereste	sareste durati/e	durate
3. durerebbero	sarebbero durati/e	durano

SUBJUNCTIVE

PRESENT	**IMPERFECT**	**PLUPERFECT**
1. duri	durassi	fossi durato/a
2. duri	durassi	fossi durato/a
3. duri	durasse	fosse durato/a
1. duriamo	durassimo	fossimo durati/e
2. duriate	duraste	foste durati/e
3. durino	durassero	fossero durati/e

PASSATO PROSSIMO sia durato/a *etc*

INFINITIVE	*GERUND*	*PAST PARTICIPLE*
PRESENT durare	durando	durato/a/i/e
PAST esser(e) durato/a/i/e		

Note that when it means 'to endure' and has a direct object, **durare** uses **avere** as its auxiliary.

PRESENT	IMPERFECT	FUTURE
1. emergo	emergevo	emergerò
2. emergi	emergevi	emergerai
3. emerge	emergeva	emergerà
1. emergiamo	emergevamo	emergeremo
2. emergete	emergevate	emergerete
3. emergono	emergevano	emergeranno
PASSATO REMOTO	***PASSATO PROSSIMO***	**PLUPERFECT**
1. emersi	sono emerso/a	ero emerso/a
2. emergesti	sei emerso/a	eri emerso/a
3. emerse	è emerso/a	era emerso/a
1. emergemmo	siamo emersi/e	eravamo emersi/e
2. emergeste	siete emersi/e	eravate emersi/e
3. emersero	sono emersi/e	erano emersi/e
PAST ANTERIOR		**FUTURE PERFECT**
fui emerso/a *etc*		sarò emerso/a *etc*

CONDITIONAL / *IMPERATIVE*

PRESENT	PAST	IMPERATIVE
1. emergerei	sarei emerso/a	
2. emergeresti	saresti emerso/a	emergi
3. emergerebbe	sarebbe emerso/a	emerga
1. emergeremmo	saremmo emersi/e	emergiamo
2. emergereste	sareste emersi/e	emergete
3. emergerebbero	sarebbero emersi/e	emergano

SUBJUNCTIVE

PRESENT	IMPERFECT	PLUPERFECT
1. emerga	emergessi	fossi emerso/a
2. emerga	emergessi	fossi emerso/a
3. emerga	emergesse	fosse emerso/a
1. emergiamo	emergessimo	fossimo emersi/e
2. emergiate	emergeste	foste emersi/e
3. emergano	emergessero	fossero emersi/e

PASSATO PROSSIMO sia emerso/a *etc*

INFINITIVE / *GERUND* / *PAST PARTICIPLE*

INFINITIVE	GERUND	PAST PARTICIPLE
PRESENT	emergendo	emerso/a/i/e
emergere		
PAST		
esser(e) emerso/a/i/e		

ENTRARE
89 *to enter, to go into*

PRESENT	IMPERFECT	FUTURE
1. entro	entravo	entrerò
2. entri	entravi	entrerai
3. entra	entrava	entrerà
1. entriamo	entravamo	entreremo
2. entrate	entravate	entrerete
3. entrano	entravano	entreranno

PASSATO REMOTO	*PASSATO PROSSIMO*	PLUPERFECT
1. entrai	sono entrato/a	ero entrato/a
2. entrasti	sei entrato/a	eri entrato/a
3. entrò	è entrato/a	era entrato/a
1. entrammo	siamo entrati/e	eravamo entrati/e
2. entraste	siete entrati/e	eravate entrati/e
3. entrarono	sono entrati/e	erano entrati/e

PAST ANTERIOR		FUTURE PERFECT
fui entrato/a *etc*		sarò entrato/a *etc*

CONDITIONAL / *IMPERATIVE*

PRESENT	PAST	IMPERATIVE
1. entrerei	sarei entrato/a	
2. entreresti	saresti entrato/a	entra
3. entrerebbe	sarebbe entrato/a	entri
1. entreremmo	saremmo entrati/e	entriamo
2. entrereste	sareste entrati/e	entrate
3. entrerebbero	sarebbero entrati/e	entrino

SUBJUNCTIVE

PRESENT	IMPERFECT	PLUPERFECT
1. entri	entrassi	fossi entrato/a
2. entri	entrassi	fossi entrato/a
3. entri	entrasse	fosse entrato/a
1. entriamo	entrassimo	fossimo entrati/e
2. entriate	entraste	foste entrati/e
3. entrino	entrassero	fossero entrati/e

PASSATO PROSSIMO sia entrato/a *etc*

INFINITIVE	*GERUND*	*PAST PARTICIPLE*
PRESENT	entrando	entrato/a/i/e
entrare		
PAST		
esser(e) entrato/a/i/e		

PRESENT	IMPERFECT	FUTURE
1. escludo	escludevo	escluderò
2. escludi	escludevi	escluderai
3. esclude	escludeva	escluderà
1. escludiamo	escludevamo	escluderemo
2. escludete	escludevate	escluderete
3. escludono	escludevano	escluderanno
PASSATO REMOTO	***PASSATO PROSSIMO***	**PLUPERFECT**
1. esclusi	ho escluso	avevo escluso
2. escludesti	hai escluso	avevi escluso
3. escluse	ha escluso	aveva escluso
1. escludemmo	abbiamo escluso	avevamo escluso
2. escludeste	avete escluso	avevate escluso
3. esclusero	hanno escluso	avevano escluso
PAST ANTERIOR		**FUTURE PERFECT**
ebbi escluso *etc*		avrò escluso *etc*

CONDITIONAL		*IMPERATIVE*
PRESENT	**PAST**	
1. escluderei	avrei escluso	
2. escluderesti	avresti escluso	escludi
3. escluderebbe	avrebbe escluso	escluda
1. escluderemmo	avremmo escluso	escludiamo
2. escludereste	avreste escluso	escludete
3. escluderebbero	avrebbero escluso	escludano

SUBJUNCTIVE

PRESENT	IMPERFECT	PLUPERFECT
1. escluda	escludessi	avessi escluso
2. escluda	escludessi	avessi escluso
3. escluda	escludesse	avesse escluso
1. escludiamo	escludessimo	avessimo escluso
2. escludiate	escludeste	aveste escluso
3. escludano	escludessero	avessero escluso

PASSATO PROSSIMO abbia escluso *etc*

INFINITIVE	*GERUND*	*PAST PARTICIPLE*
PRESENT	escludendo	escluso
escludere		
PAST		
aver(e) escluso		

ESPELLERE

91 to expel

PRESENT	IMPERFECT	FUTURE
1. espello	espellevo	espellerò
2. espelli	espellevi	espellerai
3. espelle	espelleva	espellerà
1. espelliamo	espellevamo	espelleremo
2. espellete	espellevate	espellerete
3. espellono	espellevano	espelleranno

PASSATO REMOTO	*PASSATO PROSSIMO*	PLUPERFECT
1. espulsi	ho espulso	avevo espulso
2. espellesti	hai espulso	avevi espulso
3. espulse	ha espulso	aveva espulso
1. espellemmo	abbiamo espulso	avevamo espulso
2. espelleste	avete espulso	avevate espulso
3. espulsero	hanno espulso	avevano espulso

PAST ANTERIOR		FUTURE PERFECT
ebbi espulso *etc*		avrò espulso *etc*

CONDITIONAL / IMPERATIVE

PRESENT	PAST	IMPERATIVE
1. espellerei	avrei espulso	
2. espelleresti	avresti espulso	espelli
3. espellerebbe	avrebbe espulso	espella
1. espelleremmo	avremmo espulso	espelliamo
2. espellereste	avreste espulso	espellete
3. espellerebbero	avrebbero espulso	espellano

SUBJUNCTIVE

PRESENT	IMPERFECT	PLUPERFECT
1. espella	espellessi	avessi espulso
2. espella	espellessi	avessi espulso
3. espella	espellesse	avesse espulso
1. espelliamo	espellessimo	avessimo espulso
2. espelliate	espelleste	aveste espulso
3. espellano	espellessero	avessero espulso

PASSATO PROSSIMO abbia espulso *etc*

INFINITIVE	GERUND	PAST PARTICIPLE
PRESENT	espellendo	espulso
espellere		
PAST		
aver(e) espulso		

PRESENT	IMPERFECT	FUTURE
1. esprimo	esprimevo	esprimerò
2. esprimi	esprimevi	esprimerai
3. esprime	esprimeva	esprimerà
1. esprimiamo	esprimevamo	esprimeremo
2. esprimete	esprimevate	esprimerete
3. esprimono	esprimevano	esprimeranno
PASSATO REMOTO	***PASSATO PROSSIMO***	**PLUPERFECT**
1. espressi	ho espresso	avevo espresso
2. esprimesti	hai espresso	avevi espresso
3. espresse	ha espresso	aveva espresso
1. esprimemmo	abbiamo espresso	avevamo espresso
2. esprimeste	avete espresso	avevate espresso
3. espressero	hanno espresso	avevano espresso
PAST ANTERIOR		**FUTURE PERFECT**
ebbi espresso *etc*		avrò espresso *etc*

CONDITIONAL / IMPERATIVE

PRESENT	PAST	IMPERATIVE
1. esprimerei	avrei espresso	
2. esprimeresti	avresti espresso	esprimi
3. esprimerebbe	avrebbe espresso	esprima
1. esprimeremmo	avremmo espresso	esprimiamo
2. esprimereste	avreste espresso	esprimete
3. esprimerebbero	avrebbero espresso	esprimano

SUBJUNCTIVE

PRESENT	IMPERFECT	PLUPERFECT
1. esprima	esprimessi	avessi espresso
2. esprima	esprimessi	avessi espresso
3. esprima	esprimesse	avesse espresso
1. esprimiamo	esprimessimo	avessimo espresso
2. esprimiate	esprimeste	aveste espresso
3. esprimano	esprimessero	avessero espresso

PASSATO PROSSIMO abbia espresso *etc*

INFINITIVE	GERUND	PAST PARTICIPLE
PRESENT	esprimendo	espresso
esprimere		
PAST		
aver(e) espresso		

ESSERE
93 *to be*

PRESENT	**IMPERFECT**	**FUTURE**
1. sono	ero	sarò
2. sei	eri	sarai
3. è	era	sarà
1. siamo	eravamo	saremo
2. siete	eravate	sarete
3. sono	erano	saranno

PASSATO REMOTO	***PASSATO PROSSIMO***	**PLUPERFECT**
1. fui	sono stato/a	ero stato/a
2. fosti	sei stato/a	eri stato/a
3. fu	è stato/a	era stato/a
1. fummo	siamo stati/e	eravamo stati/e
2. foste	siete stati/e	eravate stati/e
3. furono	sono stati/e	erano stati/e

PAST ANTERIOR
fui stato/a *etc*

FUTURE PERFECT
sarò stato/a *etc*

CONDITIONAL / *IMPERATIVE*

PRESENT	**PAST**	
1. sarei	sarei stato/a	
2. saresti	saresti stato/a	sii
3. sarebbe	sarebbe stato/a	sia
1. saremmo	saremmo stati/e	siamo
2. sareste	sareste stati/e	siate
3. sarebbero	sarebbero stati/e	siano

SUBJUNCTIVE

PRESENT	**IMPERFECT**	**PLUPERFECT**
1. sia	fossi	fossi stato/a
2. sia	fossi	fossi stato/a
3. sia	fosse	fosse stato/a
1. siamo	fossimo	fossimo stati/e
2. siate	foste	foste stati/e
3. siano	fossero	fossero stati/e

PASSATO PROSSIMO sia stato/a *etc*

INFINITIVE

PRESENT
essere

PAST
esser(e) stato/a/i/e

GERUND

essendo

PAST PARTICIPLE

stato/a/i/e

PRESENT	IMPERFECT	FUTURE
1. evito	evitavo	eviterò
2. eviti	evitavi	eviterai
3. evita	evitava	eviterà
1. evitiamo	evitavamo	eviteremo
2. evitate	evitavate	eviterete
3. evitano	evitavano	eviteranno

PASSATO REMOTO	*PASSATO PROSSIMO*	PLUPERFECT
1. evitai	ho evitato	avevo evitato
2. evitasti	hai evitato	avevi evitato
3. evitò	ha evitato	aveva evitato
1. evitammo	abbiamo evitato	avevamo evitato
2. evitaste	avete evitato	avevate evitato
3. evitarono	hanno evitato	avevano evitato

PAST ANTERIOR
ebbi evitato *etc*

FUTURE PERFECT
avrò evitato *etc*

CONDITIONAL

PRESENT	PAST
1. eviterei	avrei evitato
2. eviteresti	avresti evitato
3. eviterebbe	avrebbe evitato
1. eviteremmo	avremmo evitato
2. evitereste	avreste evitato
3. eviterebbero	avrebbero evitato

IMPERATIVE

evita
eviti
evitiamo
evitate
evitino

SUBJUNCTIVE

PRESENT	IMPERFECT	PLUPERFECT
1. eviti	evitassi	avessi evitato
2. eviti	evitassi	avessi evitato
3. eviti	evitasse	avesse evitato
1. evitiamo	evitassimo	avessimo evitato
2. evitiate	evitaste	aveste evitato
3. evitino	evitassero	avessero evitato

PASSATO PROSSIMO abbia evitato *etc*

INFINITIVE

PRESENT
evitare

PAST
aver(e) evitato

GERUND

evitando

PAST PARTICIPLE

evitato

FARE 95 *to do; to make*

PRESENT	IMPERFECT	FUTURE
1. faccio	facevo	farò
2. fai	facevi	farai
3. fa	faceva	farà
1. facciamo	facevamo	faremo
2. fate	facevate	farete
3. fanno	facevano	faranno

PASSATO REMOTO	*PASSATO PROSSIMO*	PLUPERFECT
1. feci	ho fatto	avevo fatto
2. facesti	hai fatto	avevi fatto
3. fece	ha fatto	aveva fatto
1. facemmo	abbiamo fatto	avevamo fatto
2. faceste	avete fatto	avevate fatto
3. fecero	hanno fatto	avevano fatto

PAST ANTERIOR
ebbi fatto *etc*

FUTURE PERFECT
avrò fatto *etc*

CONDITIONAL / *IMPERATIVE*

PRESENT	PAST	IMPERATIVE
1. farei	avrei fatto	
2. faresti	avresti fatto	fa/fai/fa'
3. farebbe	avrebbe fatto	faccia
1. faremmo	avremmo fatto	facciamo
2. fareste	avreste fatto	fate
3. farebbero	avrebbero fatto	facciano

SUBJUNCTIVE

PRESENT	IMPERFECT	PLUPERFECT
1. faccia	facessi	avessi fatto
2. faccia	facessi	avessi fatto
3. faccia	facesse	avesse fatto
1. facciamo	facessimo	avessimo fatto
2. facciate	faceste	aveste fatto
3. facciano	facessero	avessero fatto

PASSATO PROSSIMO abbia fatto *etc*

INFINITIVE / *GERUND* / *PAST PARTICIPLE*

PRESENT
fare

PAST
aver(e) fatto

GERUND: facendo

PAST PARTICIPLE: fatto

PRESENT	IMPERFECT	FUTURE
1. fermo	fermavo	fermerò
2. fermi	fermavi	fermerai
3. ferma	fermava	fermerà
1. fermiamo	fermavamo	fermeremo
2. fermate	fermavate	fermerete
3. fermano	fermavano	fermeranno

PASSATO REMOTO	*PASSATO PROSSIMO*	PLUPERFECT
1. fermai	ho fermato	avevo fermato
2. fermasti	hai fermato	avevi fermato
3. fermò	ha fermato	aveva fermato
1. fermammo	abbiamo fermato	avevamo fermato
2. fermaste	avete fermato	avevate fermato
3. fermarono	hanno fermato	avevano fermato

PAST ANTERIOR
ebbi fermato *etc*

FUTURE PERFECT
avrò fermato *etc*

CONDITIONAL / *IMPERATIVE*

PRESENT	PAST	IMPERATIVE
1. fermerei	avrei fermato	
2. fermeresti	avresti fermato	ferma
3. fermerebbe	avrebbe fermato	fermi
1. fermeremmo	avremmo fermato	fermiamo
2. fermereste	avreste fermato	fermate
3. fermerebbero	avrebbero fermato	fermino

SUBJUNCTIVE

PRESENT	IMPERFECT	PLUPERFECT
1. fermi	fermassi	avessi fermato
2. fermi	fermassi	avessi fermato
3. fermi	fermasse	avesse fermato
1. fermiamo	fermassimo	avessimo fermato
2. fermiate	fermaste	aveste fermato
3. fermino	fermassero	avessero fermato

PASSATO PROSSIMO abbia fermato *etc*

INFINITIVE / *GERUND* / *PAST PARTICIPLE*

PRESENT
fermare

PAST
aver(e) fermato

GERUND
fermando

PAST PARTICIPLE
fermato

FINGERE
97 *to pretend*

PRESENT	IMPERFECT	FUTURE
1. fingo	fingevo	fingerò
2. fingi	fingevi	fingerai
3. finge	fingeva	fingerà
1. fingiamo	fingevamo	fingeremo
2. fingete	fingevate	fingerete
3. fingono	fingevano	fingeranno

PASSATO REMOTO	*PASSATO PROSSIMO*	PLUPERFECT
1. finsi	ho finto	avevo finto
2. fingesti	hai finto	avevi finto
3. finse	ha finto	aveva finto
1. fingemmo	abbiamo finto	avevamo finto
2. fingeste	avete finto	avevate finto
3. finsero	hanno finto	avevano finto

PAST ANTERIOR		FUTURE PERFECT
ebbi finto *etc*		avrò finto *etc*

CONDITIONAL / *IMPERATIVE*

PRESENT	PAST	IMPERATIVE
1. fingerei	avrei finto	
2. fingeresti	avresti finto	fingi
3. fingerebbe	avrebbe finto	finga
1. fingeremmo	avremmo finto	fingiamo
2. fingereste	avreste finto	fingete
3. fingerebbero	avrebbero finto	fingano

SUBJUNCTIVE

PRESENT	IMPERFECT	PLUPERFECT
1. finga	fingessi	avessi finto
2. finga	fingessi	avessi finto
3. finga	fingesse	avesse finto
1. fingiamo	fingessimo	avessimo finto
2. fingiate	fingeste	aveste finto
3. fingano	fingessero	avessero finto

PASSATO PROSSIMO abbia finto *etc*

INFINITIVE / *GERUND* / *PAST PARTICIPLE*

INFINITIVE	GERUND	PAST PARTICIPLE
PRESENT	fingendo	finto
fingere		
PAST		
aver(e) finto		

PRESENT	IMPERFECT	FUTURE
1. finisco	finivo	finirò
2. finisci	finivi	finirai
3. finisce	finiva	finirà
1. finiamo	finivamo	finiremo
2. finite	finivate	finirete
3. finiscono	finivano	finiranno
PASSATO REMOTO	***PASSATO PROSSIMO***	**PLUPERFECT**
1. finii	ho finito	avevo finito
2. finisti	hai finito	avevi finito
3. finì	ha finito	aveva finito
1. finimmo	abbiamo finito	avevamo finito
2. finiste	avete finito	avevate finito
3. finirono	hanno finito	avevano finito
PAST ANTERIOR		**FUTURE PERFECT**
ebbi finito *etc*		avrò finito *etc*

CONDITIONAL / *IMPERATIVE*

PRESENT	PAST	IMPERATIVE
1. finirei	avrei finito	
2. finiresti	avresti finito	finisci
3. finirebbe	avrebbe finito	finisca
1. finiremmo	avremmo finito	finiamo
2. finireste	avreste finito	finite
3. finirebbero	avrebbero finito	finiscano

SUBJUNCTIVE

PRESENT	IMPERFECT	PLUPERFECT
1. finisca	finissi	avessi finito
2. finisca	finissi	avessi finito
3. finisca	finisse	avesse finito
1. finiamo	finissimo	avessimo finito
2. finiate	finiste	aveste finito
3. finiscano	finissero	avessero finito

PASSATO PROSSIMO abbia finito *etc*

INFINITIVE / *GERUND* / *PAST PARTICIPLE*

INFINITIVE	GERUND	PAST PARTICIPLE
PRESENT	finendo	finito
finire		
PAST		
aver(e) finito		

FORNIRE
99 *to supply, to provide*

PRESENT	IMPERFECT	FUTURE
1. fornisco	fornivo	fornirò
2. fornisci	fornivi	fornirai
3. fornisce	forniva	fornirà
1. forniamo	fornivamo	forniremo
2. fornite	fornivate	fornirete
3. forniscono	fornivano	forniranno

PASSATO REMOTO	*PASSATO PROSSIMO*	PLUPERFECT
1. fornii	ho fornito	avevo fornito
2. fornisti	hai fornito	avevi fornito
3. fornì	ha fornito	aveva fornito
1. fornimmo	abbiamo fornito	avevamo fornito
2. forniste	avete fornito	avevate fornito
3. fornirono	hanno fornito	avevano fornito

PAST ANTERIOR		FUTURE PERFECT
ebbi fornito *etc*		avrò fornito *etc*

CONDITIONAL / *IMPERATIVE*

PRESENT	PAST	IMPERATIVE
1. fornirei	avrei fornito	
2. forniresti	avresti fornito	fornisci
3. fornirebbe	avrebbe fornito	fornisca
1. forniremmo	avremmo fornito	forniamo
2. fornireste	avreste fornito	fornite
3. fornirebbero	avrebbero fornito	forniscano

SUBJUNCTIVE

PRESENT	IMPERFECT	PLUPERFECT
1. fornisca	fornissi	avessi fornito
2. fornisca	fornissi	avessi fornito
3. fornisca	fornisse	avesse fornito
1. forniamo	fornissimo	avessimo fornito
2. forniate	forniste	aveste fornito
3. forniscano	fornissero	avessero fornito

PASSATO PROSSIMO abbia fornito *etc*

INFINITIVE	*GERUND*	*PAST PARTICIPLE*
PRESENT fornire	fornendo	fornito
PAST aver(e) fornito		

PRESENT	IMPERFECT	FUTURE
1. fuggo	fuggivo	fuggirò
2. fuggi	fuggivi	fuggirai
3. fugge	fuggiva	fuggirà
1. fuggiamo	fuggivamo	fuggiremo
2. fuggite	fuggivate	fuggirete
3. fuggono	fuggivano	fuggiranno
PASSATO REMOTO	***PASSATO PROSSIMO***	**PLUPERFECT**
1. fuggii	sono fuggito/a	ero fuggito/a
2. fuggisti	sei fuggito/a	eri fuggito/a
3. fuggì	è fuggito/a	era fuggito/a
1. fuggimmo	siamo fuggiti/e	eravamo fuggiti/e
2. fuggiste	siete fuggiti/e	eravate fuggiti/e
3. fuggirono	sono fuggiti/e	erano fuggiti/e
PAST ANTERIOR		**FUTURE PERFECT**
fui fuggito/a *etc*		sarò fuggito/a *etc*

CONDITIONAL / *IMPERATIVE*

PRESENT	PAST	IMPERATIVE
1. fuggirei	sarei fuggito/a	
2. fuggiresti	saresti fuggito/a	fuggi
3. fuggirebbe	sarebbe fuggito/a	fugga
1. fuggiremmo	saremmo fuggiti/e	fuggiamo
2. fuggireste	sareste fuggiti/e	fuggite
3. fuggirebbero	sarebbero fuggiti/e	fuggano

SUBJUNCTIVE

PRESENT	IMPERFECT	PLUPERFECT
1. fugga	fuggissi	fossi fuggito/a
2. fugga	fuggissi	fossi fuggito/a
3. fugga	fuggisse	fosse fuggito/a
1. fuggiamo	fuggissimo	fossimo fuggiti/e
2. fuggiate	fuggiste	foste fuggiti/e
3. fuggano	fuggissero	fossero fuggiti/e

PASSATO PROSSIMO sia fuggito/a *etc*

INFINITIVE	*GERUND*	*PAST PARTICIPLE*
PRESENT	fuggendo	fuggito/a/i/e
fuggire		
PAST		
esser(e) fuggito/a/i/e		

Note that with a direct object the auxiliary used is **avere**, eg **his friends avoided him** i suoi amici lo hanno fuggito.

FUMARE

101 *to smoke*

PRESENT	**IMPERFECT**	**FUTURE**
1. fumo	fumavo	fumerò
2. fumi	fumavi	fumerai
3. fuma	fumava	fumerà
1. fumiamo	fumavamo	fumeremo
2. fumate	fumavate	fumerete
3. fumano	fumavano	fumeranno
PASSATO REMOTO	***PASSATO PROSSIMO***	**PLUPERFECT**
1. fumai	ho fumato	avevo fumato
2. fumasti	hai fumato	avevi fumato
3. fumò	ha fumato	aveva fumato
1. fumammo	abbiamo fumato	avevamo fumato
2. fumaste	avete fumato	avevate fumato
3. fumarono	hanno fumato	avevano fumato
PAST ANTERIOR		**FUTURE PERFECT**
ebbi fumato *etc*		avrò fumato *etc*

CONDITIONAL		*IMPERATIVE*
PRESENT	**PAST**	
1. fumerei	avrei fumato	
2. fumeresti	avresti fumato	fuma
3. fumerebbe	avrebbe fumato	fumi
1. fumeremmo	avremmo fumato	fumiamo
2. fumereste	avreste fumato	fumate
3. fumerebbero	avrebbero fumato	fumino

SUBJUNCTIVE		
PRESENT	**IMPERFECT**	**PLUPERFECT**
1. fumi	fumassi	avessi fumato
2. fumi	fumassi	avessi fumato
3. fumi	fumasse	avesse fumato
1. fumiamo	fumassimo	avessimo fumato
2. fumiate	fumaste	aveste fumato
3. fumino	fumassero	avessero fumato
PASSATO PROSSIMO	abbia fumato *etc*	

INFINITIVE	*GERUND*	*PAST PARTICIPLE*
PRESENT	fumando	fumato
fumare		
PAST		
aver(e) fumato		

PRESENT	IMPERFECT	FUTURE
1. getto	gettavo	getterò
2. getti	gettavi	getterai
3. getta	gettava	getterà
1. gettiamo	gettavamo	getteremo
2. gettate	gettavate	getterete
3. gettano	gettavano	getteranno

PASSATO REMOTO	*PASSATO PROSSIMO*	PLUPERFECT
1. gettai	ho gettato	avevo gettato
2. gettasti	hai gettato	avevi gettato
3. gettò	ha gettato	aveva gettato
1. gettammo	abbiamo gettato	avevamo gettato
2. gettaste	avete gettato	avevate gettato
3. gettarono	hanno gettato	avevano gettato

PAST ANTERIOR
ebbi gettato *etc*

FUTURE PERFECT
avrò gettato *etc*

CONDITIONAL

PRESENT	PAST
1. getterei	avrei gettato
2. getteresti	avresti gettato
3. getterebbe	avrebbe gettato
1. getteremmo	avremmo gettato
2. gettereste	avreste gettato
3. getterebbero	avrebbero gettato

IMPERATIVE

getta
getti
gettiamo
gettate
gettino

SUBJUNCTIVE

PRESENT	IMPERFECT	PLUPERFECT
1. getti	gettassi	avessi gettato
2. getti	gettassi	avessi gettato
3. getti	gettasse	avesse gettato
1. gettiamo	gettassimo	avessimo gettato
2. gettiate	gettaste	aveste gettato
3. gettino	gettassero	avessero gettato

PASSATO PROSSIMO abbia gettato *etc*

INFINITIVE

PRESENT
gettare

PAST
aver(e) gettato

GERUND

gettando

PAST PARTICIPLE

gettato

GIACERE
103 *to lie, to be situated*

PRESENT	**IMPERFECT**	**FUTURE**
1. giaccio	giacevo	giacerò
2. giaci	giacevi	giacerai
3. giace	giaceva	giacerà
1. giacciamo	giacevamo	giaceremo
2. giacete	giacevate	giacerete
3. giacciono	giacevano	giaceranno
PASSATO REMOTO	***PASSATO PROSSIMO***	**PLUPERFECT**
1. giacqui	sono giaciuto/a	ero giaciuto/a
2. giacesti	sei giaciuto/a	eri giaciuto/a
3. giacque	è giaciuto/a	era giaciuto/a
1. giacemmo	siamo giaciuti/e	eravamo giaciuti/e
2. giaceste	siete giaciuti/e	eravate giaciuti/e
3. giacquero	sono giaciuti/e	erano giaciuti/e
PAST ANTERIOR		**FUTURE PERFECT**
fui giaciuto/a *etc*		sarò giaciuto/a *etc*

CONDITIONAL / *IMPERATIVE*

PRESENT	**PAST**	
1. giacerei	sarei giaciuto/a	
2. giaceresti	saresti giaciuto/a	giaci
3. giacerebbe	sarebbe giaciuto/a	giaccia
1. giaceremmo	saremmo giaciuti/e	giacciamo
2. giacereste	sareste giaciuti/e	giacete
3. giacerebbero	sarebbero giaciuti/e	giacciano

SUBJUNCTIVE

PRESENT	**IMPERFECT**	**PLUPERFECT**
1. giaccia	giacessi	fossi giaciuto/a
2. giaccia	giacessi	fossi giaciuto/a
3. giaccia	giacesse	fosse giaciuto/a
1. giacciamo	giacessimo	fossimo giaciuti/e
2. giacciate	giaceste	foste giaciuti/e
3. giacciano	giacessero	fossero giaciuti/e

PASSATO PROSSIMO sia giaciuto/a *etc*

INFINITIVE	*GERUND*	*PAST PARTICIPLE*
PRESENT	giacendo	giaciuto/a/i/e
giacere		
PAST		
esser(e) giaciuto/a/i/e		

PRESENT	IMPERFECT	FUTURE
1. gioco/giuoco	giocavo	giocherò
2. giochi/giuochi	giocavi	giocherai
3. gioca/giuoca	giocava	giocherà
1. giochiamo/giuochiamo	giocavamo	giocheremo
2. giocate/giuocate	giocavate	giocherete
3. giocano/giuocano	giocavano	giocheranno

PASSATO REMOTO	*PASSATO PROSSIMO*	PLUPERFECT
1. giocai	ho giocato	avevo giocato
2. giocasti	hai giocato	avevi giocato
3. giocò	ha giocato	aveva giocato
1. giocammo	abbiamo giocato	avevamo giocato
2. giocaste	avete giocato	avevate giocato
3. giocarono	hanno giocato	avevano giocato

PAST ANTERIOR
ebbi giocato *etc*

FUTURE PERFECT
avrò giocato *etc*

CONDITIONAL

PRESENT	PAST
1. giocherei	avrei giocato
2. giocheresti	avresti giocato
3. giocherebbe	avrebbe giocato
1. giocheremmo	avremmo giocato
2. giochereste	avreste giocato
3. giocherebbero	avrebbero giocato

IMPERATIVE

gioca
giochi
giochiamo
giocate
giochino

SUBJUNCTIVE

PRESENT	IMPERFECT	PLUPERFECT
1. giochi	giocassi	avessi giocato
2. giochi	giocassi	avessi giocato
3. giochi	giocasse	avesse giocato
1. giochiamo	giocassimo	avessimo giocato
2. giochiate	giocaste	aveste giocato
3. giochino	giocassero	avessero giocato

PASSATO PROSSIMO abbia giocato *etc*

INFINITIVE

PRESENT
giocare

PAST
aver(e) giocato

GERUND

giocando

PAST PARTICIPLE

giocato

GIUNGERE
105 *to arrive at, to reach*

PRESENT	IMPERFECT	FUTURE
1. giungo	giungevo	giungerò
2. giungi	giungevi	giungerai
3. giunge	giungeva	giungerà
1. giungiamo	giungevamo	giungeremo
2. giungete	giungevate	giungerete
3. giungono	giungevano	giungeranno
PASSATO REMOTO	***PASSATO PROSSIMO***	**PLUPERFECT**
1. giunsi	sono giunto/a	ero giunto/a
2. giungesti	sei giunto/a	eri giunto/a
3. giunse	è giunto/a	era giunto/a
1. giungemmo	siamo giunti/e	eravamo giunti/e
2. giungeste	siete giunti/e	eravate giunti/e
3. giunsero	sono giunti/e	erano giunti/e
PAST ANTERIOR		**FUTURE PERFECT**
fui giunto/a *etc*		sarò giunto/a *etc*

CONDITIONAL / *IMPERATIVE*

PRESENT	PAST	IMPERATIVE
1. giungerei	sarei giunto/a	
2. giungeresti	saresti giunto/a	giungi
3. giungerebbe	sarebbe giunto/a	giunga
1. giungeremmo	saremmo giunti/e	giungiamo
2. giungereste	sareste giunti/e	giungete
3. giungerebbero	sarebbero giunti/e	giungano

SUBJUNCTIVE

PRESENT	IMPERFECT	PLUPERFECT
1. giunga	giungessi	fossi giunto/a
2. giunga	giungessi	fossi giunto/a
3. giunga	giungesse	fosse giunto/a
1. giungiamo	giungessimo	fossimo giunti/e
2. giungiate	giungeste	foste giunti/e
3. giungano	giungessero	fossero giunti/e

PASSATO PROSSIMO sia giunto/a *etc*

INFINITIVE	*GERUND*	*PAST PARTICIPLE*
PRESENT	giungendo	giunto/a/i/e
giungere		
PAST		
esser(e) giunto/a/i/e		

PRESENT	IMPERFECT	FUTURE
1. godo	godevo	godrò
2. godi	godevi	godrai
3. gode	godeva	godrà
1. godiamo	godevamo	godremo
2. godete	godevate	godrete
3. godono	godevano	godranno
PASSATO REMOTO	***PASSATO PROSSIMO***	**PLUPERFECT**
1. godei/godetti	ho goduto	avevo goduto
2. godesti	hai goduto	avevi goduto
3. godé/godette	ha goduto	aveva goduto
1. godemmo	abbiamo goduto	avevamo goduto
2. godeste	avete goduto	avevate goduto
3. goderono/godettero	hanno goduto	avevano goduto
PAST ANTERIOR		**FUTURE PERFECT**
ebbi goduto *etc*		avrò goduto *etc*

CONDITIONAL		*IMPERATIVE*
PRESENT	**PAST**	
1. godrei	avrei goduto	
2. godresti	avresti goduto	godi
3. godrebbe	avrebbe goduto	goda
1. godremmo	avremmo goduto	godiamo
2. godreste	avreste goduto	godete
3. godrebbero	avrebbero goduto	godano

SUBJUNCTIVE		
PRESENT	**IMPERFECT**	**PLUPERFECT**
1. goda	godessi	avessi goduto
2. goda	godessi	avessi goduto
3. goda	godesse	avesse goduto
1. godiamo	godessimo	avessimo goduto
2. godiate	godeste	aveste goduto
3. godano	godessero	avessero goduto
PASSATO PROSSIMO	abbia goduto *etc*	

INFINITIVE	*GERUND*	*PAST PARTICIPLE*
PRESENT	godendo	goduto
godere		
PAST		
aver(e) goduto		

GRIDARE
107 *to shout*

PRESENT	IMPERFECT	FUTURE
1. grido	gridavo	griderò
2. gridi	gridavi	griderai
3. grida	gridava	griderà
1. gridiamo	gridavamo	grideremo
2. gridate	gridavate	griderete
3. gridano	gridavano	grideranno
PASSATO REMOTO	***PASSATO PROSSIMO***	**PLUPERFECT**
1. gridai	ho gridato	avevo gridato
2. gridasti	hai gridato	avevi gridato
3. gridò	ha gridato	aveva gridato
1. gridammo	abbiamo gridato	avevamo gridato
2. gridaste	avete gridato	avevate gridato
3. gridarono	hanno gridato	avevano gridato
PAST ANTERIOR		**FUTURE PERFECT**
ebbi gridato *etc*		avrò gridato *etc*

CONDITIONAL / *IMPERATIVE*

PRESENT	PAST	IMPERATIVE
1. griderei	avrei gridato	
2. grideresti	avresti gridato	grida
3. griderebbe	avrebbe gridato	gridi
1. grideremmo	avremmo gridato	gridiamo
2. gridereste	avreste gridato	gridate
3. griderebbero	avrebbero gridato	gridino

SUBJUNCTIVE

PRESENT	IMPERFECT	PLUPERFECT
1. gridi	gridassi	avessi gridato
2. gridi	gridassi	avessi gridato
3. gridi	gridasse	avesse gridato
1. gridiamo	gridassimo	avessimo gridato
2. gridiate	gridaste	aveste gridato
3. gridino	gridassero	avessero gridato

PASSATO PROSSIMO abbia gridato *etc*

INFINITIVE	*GERUND*	*PAST PARTICIPLE*
PRESENT	gridando	gridato
gridare		
PAST		
aver(e) gridato		

PRESENT	IMPERFECT	FUTURE
1. guardo	guardavo	guarderò
2. guardi	guardavi	guarderai
3. guarda	guardava	guarderà
1. guardiamo	guardavamo	guarderemo
2. guardate	guardavate	guarderete
3. guardano	guardavano	guarderanno
PASSATO REMOTO	***PASSATO PROSSIMO***	**PLUPERFECT**
1. guardai	ho guardato	avevo guardato
2. guardasti	hai guardato	avevi guardato
3. guardò	ha guardato	aveva guardato
1. guardammo	abbiamo guardato	avevamo guardato
2. guardaste	avete guardato	avevate guardato
3. guardarono	hanno guardato	avevano guardato
PAST ANTERIOR		**FUTURE PERFECT**
ebbi guardato *etc*		avrò guardato *etc*

CONDITIONAL		*IMPERATIVE*
PRESENT	**PAST**	
1. guarderei	avrei guardato	
2. guarderesti	avresti guardato	guarda
3. guarderebbe	avrebbe guardato	guardi
1. guarderemmo	avremmo guardato	guardiamo
2. guardereste	avreste guardato	guardate
3. guarderebbero	avrebbero guardato	guardino

SUBJUNCTIVE		
PRESENT	**IMPERFECT**	**PLUPERFECT**
1. guardi	guardassi	avessi guardato
2. guardi	guardassi	avessi guardato
3. guardi	guardasse	avesse guardato
1. guardiamo	guardassimo	avessimo guardato
2. guardiate	guardaste	aveste guardato
3. guardino	guardassero	avessero guardato
PASSATO PROSSIMO	abbia guardato *etc*	

INFINITIVE	*GERUND*	*PAST PARTICIPLE*
PRESENT	guardando	guardato
guardare		
PAST		
aver(e) guardato		

IMPARARE
109 *to learn*

PRESENT	IMPERFECT	FUTURE
1. imparo	imparavo	imparerò
2. impari	imparavi	imparerai
3. impara	imparava	imparerà
1. impariamo	imparavamo	impareremo
2. imparate	imparavate	imparerete
3. imparano	imparavano	impareranno
PASSATO REMOTO	***PASSATO PROSSIMO***	**PLUPERFECT**
1. imparai	ho imparato	avevo imparato
2. imparasti	hai imparato	avevi imparato
3. imparò	ha imparato	aveva imparato
1. imparammo	abbiamo imparato	avevamo imparato
2. imparaste	avete imparato	avevate imparato
3. impararono	hanno imparato	avevano imparato
PAST ANTERIOR		**FUTURE PERFECT**
ebbi imparato *etc*		avrò imparato *etc*

CONDITIONAL / *IMPERATIVE*

PRESENT	PAST	IMPERATIVE
1. imparerei	avrei imparato	
2. impareresti	avresti imparato	impara
3. imparerebbe	avrebbe imparato	impari
1. impareremmo	avremmo imparato	impariamo
2. imparereste	avreste imparato	imparate
3. imparerebbero	avrebbero imparato	imparino

SUBJUNCTIVE

PRESENT	IMPERFECT	PLUPERFECT
1. impari	imparassi	avessi imparato
2. impari	imparassi	avessi imparato
3. impari	imparasse	avesse imparato
1. impariamo	imparassimo	avessimo imparato
2. impariate	imparaste	aveste imparato
3. imparino	imparassero	avessero imparato

PASSATO PROSSIMO abbia imparato *etc*

INFINITIVE	*GERUND*	*PAST PARTICIPLE*
PRESENT	imparando	imparato
imparare		
PAST		
aver(e) imparato		

PRESENT	**IMPERFECT**	**FUTURE**
1. impedisco	impedivo	impedirò
2. impedisci	impedivi	impedirai
3. impedisce	impediva	impedirà
1. impediamo	impedivamo	impediremo
2. impedite	impedivate	impedirete
3. impediscono	impedivano	impediranno
PASSATO REMOTO	***PASSATO PROSSIMO***	**PLUPERFECT**
1. impedii	ho impedito	avevo impedito
2. impedisti	hai impedito	avevi impedito
3. impedì	ha impedito	aveva impedito
1. impedimmo	abbiamo impedito	avevamo impedito
2. impediste	avete impedito	avevate impedito
3. impedirono	hanno impedito	avevano impedito
PAST ANTERIOR		**FUTURE PERFECT**
ebbi impedito *etc*		avrò impedito *etc*

CONDITIONAL / *IMPERATIVE*

PRESENT	**PAST**	
1. impedirei	avrei impedito	
2. impediresti	avresti impedito	impedisci
3. impedirebbe	avrebbe impedito	impedisca
1. impediremmo	avremmo impedito	impediamo
2. impedireste	avreste impedito	impedite
3. impedirebbero	avrebbero impedito	impediscano

SUBJUNCTIVE

PRESENT	**IMPERFECT**	**PLUPERFECT**
1. impedisca	impedissi	avessi impedito
2. impedisca	impedissi	avessi impedito
3. impedisca	impedisse	avesse impedito
1. impediamo	impedissimo	avessimo impedito
2. impediate	impediste	aveste impedito
3. impediscano	impedissero	avessero impedito

PASSATO PROSSIMO abbia impedito *etc*

INFINITIVE	*GERUND*	*PAST PARTICIPLE*
PRESENT	impedendo	impedito
impedire		
PAST		
aver(e) impedito		

INCONTRARE
111 *to meet*

PRESENT	IMPERFECT	FUTURE
1. incontro	incontravo	incontrerò
2. incontri	incontravi	incontrerai
3. incontra	incontrava	incontrerà
1. incontriamo	incontravamo	incontreremo
2. incontrate	incontravate	incontrerete
3. incontrano	incontravano	incontreranno

PASSATO REMOTO	*PASSATO PROSSIMO*	PLUPERFECT
1. incontrai	ho incontrato	avevo incontrato
2. incontrasti	hai incontrato	avevi incontrato
3. incontrò	ha incontrato	aveva incontrato
1. incontrammo	abbiamo incontrato	avevamo incontrato
2. incontraste	avete incontrato	avevate incontrato
3. incontrarono	hanno incontrato	avevano incontrato

PAST ANTERIOR		FUTURE PERFECT
ebbi incontrato *etc*		avrò incontrato *etc*

CONDITIONAL / *IMPERATIVE*

PRESENT	PAST	IMPERATIVE
1. incontrerei	avrei incontrato	
2. incontreresti	avresti incontrato	incontra
3. incontrerebbe	avrebbe incontrato	incontri
1. incontreremmo	avremmo incontrato	incontriamo
2. incontrereste	avreste incontrato	incontrate
3. incontrerebbero	avrebbero incontrato	incontrino

SUBJUNCTIVE

PRESENT	IMPERFECT	PLUPERFECT
1. incontri	incontrassi	avessi incontrato
2. incontri	incontrassi	avessi incontrato
3. incontri	incontrasse	avesse incontrato
1. incontriamo	incontrassimo	avessimo incontrato
2. incontriate	incontraste	aveste incontrato
3. incontrino	incontrassero	avessero incontrato

PASSATO PROSSIMO abbia incontrato *etc*

INFINITIVE	*GERUND*	*PAST PARTICIPLE*
PRESENT	incontrando	incontrato
incontrare		
PAST		
aver(e) incontrato		

PRESENT	IMPERFECT	FUTURE
1. inferisco	inferivo	inferirò
2. inferisci	inferivi	inferirai
3. inferisce	inferiva	inferirà
1. inferiamo	inferivamo	inferiremo
2. inferite	inferivate	inferirete
3. inferiscono	inferivano	inferiranno

PASSATO REMOTO	*PASSATO PROSSIMO*	PLUPERFECT
1. infersi/inferii	ho inferto/inferito	avevo inferto/inferito
2. inferisti	hai inferto/inferito	avevi inferto/inferito
3. inferse/inferì	ha inferto/inferito	aveva inferto/inferito
1. inferimmo	abbiamo inferto/inferito	avevamo inferto/inferito
2. inferiste	avete inferto/inferito	avevate inferto/inferito
3. infersero/inferirono	hanno inferto/inferito	avevano inferto/inferito

PAST ANTERIOR		FUTURE PERFECT
ebbi inferto/inferito *etc*		avrò inferto/inferito *etc*

CONDITIONAL / *IMPERATIVE*

PRESENT	PAST	IMPERATIVE
1. inferirei	avrei inferto/inferito	
2. inferiresti	avresti inferto/inferito	inferisci
3. inferirebbe	avrebbe inferto/inferito	inferisca
1. inferiremmo	avremmo inferto/inferito	inferiamo
2. inferireste	avreste inferto/inferito	inferite
3. inferirebbero	avrebbero inferto/inferito	inferiscano

SUBJUNCTIVE

PRESENT	IMPERFECT	PLUPERFECT
1. inferisca	inferissi	avessi inferto/inferito
2. inferisca	inferissi	avessi inferto/inferito
3. inferisca	inferisse	avesse inferto/inferito
1. inferiamo	inferissimo	avessimo inferto/inferito
2. inferiate	inferiste	aveste inferto/inferito
3. inferiscano	inferissero	avessero inferto/inferito

PASSATO PROSSIMO abbia inferto/inferito *etc*

INFINITIVE	*GERUND*	*PAST PARTICIPLE*
PRESENT	inferendo	inferto/inferito
inferire		
PAST		
aver(e) inferto/inferito		

Note that for 'to inflict' use *passato remoto* infersi/inferse/infersero and past participle inferto; for 'to infer' use the inferii/inferì/inferirono and inferito forms.

INSEGNARE
113 *to teach*

PRESENT	**IMPERFECT**	**FUTURE**
1. insegno	insegnavo	insegnerò
2. insegni	insegnavi	insegnerai
3. insegna	insegnava	insegnerà
1. insegniamo	insegnavamo	insegneremo
2. insegnate	insegnavate	insegnerete
3. insegnano	insegnavano	insegneranno
PASSATO REMOTO	***PASSATO PROSSIMO***	**PLUPERFECT**
1. insegnai	ho insegnato	avevo insegnato
2. insegnasti	hai insegnato	avevi insegnato
3. insegnò	ha insegnato	aveva insegnato
1. insegnammo	abbiamo insegnato	avevamo insegnato
2. insegnaste	avete insegnato	avevate insegnato
3. insegnarono	hanno insegnato	avevano insegnato
PAST ANTERIOR		**FUTURE PERFECT**
ebbi insegnato *etc*		avrò insegnato *etc*

CONDITIONAL		***IMPERATIVE***
PRESENT	**PAST**	
1. insegnerei	avrei insegnato	
2. insegneresti	avresti insegnato	insegna
3. insegnerebbe	avrebbe insegnato	insegni
1. insegneremmo	avremmo insegnato	insegniamo
2. insegnereste	avreste insegnato	insegnate
3. insegnerebbero	avrebbero insegnato	insegnino

SUBJUNCTIVE		
PRESENT	**IMPERFECT**	**PLUPERFECT**
1. insegni	insegnassi	avessi insegnato
2. insegni	insegnassi	avessi insegnato
3. insegni	insegnasse	avesse insegnato
1. insegniamo	insegnassimo	avessimo insegnato
2. insegniate	insegnaste	aveste insegnato
3. insegnino	insegnassero	avessero insegnato
PASSATO PROSSIMO	abbia insegnato *etc*	

INFINITIVE	***GERUND***	***PAST PARTICIPLE***
PRESENT	insegnando	insegnato
insegnare		
PAST		
aver(e) insegnato		

PRESENT	IMPERFECT	FUTURE
1. insisto	insistevo	insisterò
2. insisti	insistevi	insisterai
3. insiste	insisteva	insisterà
1. insistiamo	insistevamo	insisteremo
2. insistete	insistevate	insisterete
3. insistono	insistevano	insisteranno

PASSATO REMOTO	*PASSATO PROSSIMO*	PLUPERFECT
1. insistei/insistetti	ho insistito	avevo insistito
2. insistesti	hai insistito	avevi insistito
3. insisté/insistette	ha insistito	aveva insistito
1. insistemmo	abbiamo insistito	avevamo insistito
2. insisteste	avete insistito	avevate insistito
3. insisterono/insistettero	hanno insistito	avevano insistito

PAST ANTERIOR
ebbi insistito *etc*

FUTURE PERFECT
avrò insistito *etc*

CONDITIONAL

PRESENT	PAST
1. insisterei	avrei insistito
2. insisteresti	avresti insistito
3. insisterebbe	avrebbe insistito
1. insisteremmo	avremmo insistito
2. insistereste	avreste insistito
3. insisterebbero	avrebbero insistito

IMPERATIVE

insisti
insista
insistiamo
insistete
insistano

SUBJUNCTIVE

PRESENT	IMPERFECT	PLUPERFECT
1. insista	insistessi	avessi insistito
2. insista	insistessi	avessi insistito
3. insista	insistesse	avesse insistito
1. insistiamo	insistessimo	avessimo insistito
2. insistiate	insisteste	aveste insistito
3. insistano	insistessero	avessero insistito

PASSATO PROSSIMO abbia insistito *etc*

INFINITIVE

PRESENT
insistere

PAST
aver(e) insistito

GERUND

insistendo

PAST PARTICIPLE

insistito

INTENDERE

115 *to intend; to understand*

PRESENT	**IMPERFECT**	**FUTURE**
1. intendo	intendevo	intenderò
2. intendi	intendevi	intenderai
3. intende	intendeva	intenderà
1. intendiamo	intendevamo	intenderemo
2. intendete	intendevate	intenderete
3. intendono	intendevano	intenderanno
PASSATO REMOTO	***PASSATO PROSSIMO***	**PLUPERFECT**
1. intesi	ho inteso	avevo inteso
2. intendesti	hai inteso	avevi inteso
3. intese	ha inteso	aveva inteso
1. intendemmo	abbiamo inteso	avevamo inteso
2. intendeste	avete inteso	avevate inteso
3. intesero	hanno inteso	avevano inteso
PAST ANTERIOR		**FUTURE PERFECT**
ebbi inteso *etc*		avrò inteso *etc*

CONDITIONAL / *IMPERATIVE*

PRESENT	**PAST**	
1. intenderei	avrei inteso	
2. intenderesti	avresti inteso	intendi
3. intenderebbe	avrebbe inteso	intenda
1. intenderemmo	avremmo inteso	intendiamo
2. intendereste	avreste inteso	intendete
3. intenderebbero	avrebbero inteso	intendano

SUBJUNCTIVE

PRESENT	**IMPERFECT**	**PLUPERFECT**
1. intenda	intendessi	avessi inteso
2. intenda	intendessi	avessi inteso
3. intenda	intendesse	avesse inteso
1. intendiamo	intendessimo	avessimo inteso
2. intendiate	intendeste	aveste inteso
3. intendano	intendessero	avessero inteso

PASSATO PROSSIMO abbia inteso *etc*

INFINITIVE	*GERUND*	*PAST PARTICIPLE*
PRESENT	intendendo	inteso
intendere		
PAST		
aver(e) inteso		

PRESENT	IMPERFECT	FUTURE
1. invado	invadevo	invaderò
2. invadi	invadevi	invaderai
3. invade	invadeva	invaderà
1. invadiamo	invadevamo	invaderemo
2. invadete	invadevate	invaderete
3. invadono	invadevano	invaderanno

PASSATO REMOTO	*PASSATO PROSSIMO*	PLUPERFECT
1. invasi	ho invaso	avevo invaso
2. invadesti	hai invaso	avevi invaso
3. invase	ha invaso	aveva invaso
1. invademmo	abbiamo invaso	avevamo invaso
2. invadeste	avete invaso	avevate invaso
3. invasero	hanno invaso	avevano invaso

PAST ANTERIOR		FUTURE PERFECT
ebbi invaso *etc*		avrò invaso *etc*

CONDITIONAL / *IMPERATIVE*

PRESENT	PAST	IMPERATIVE
1. invaderei	avrei invaso	
2. invaderesti	avresti invaso	invadi
3. invaderebbe	avrebbe invaso	invada
1. invaderemmo	avremmo invaso	invadiamo
2. invadereste	avreste invaso	invadete
3. invaderebbero	avrebbero invaso	invadano

SUBJUNCTIVE

PRESENT	IMPERFECT	PLUPERFECT
1. invada	invadessi	avessi invaso
2. invada	invadessi	avessi invaso
3. invada	invadesse	avesse invaso
1. invadiamo	invadessimo	avessimo invaso
2. invadiate	invadeste	aveste invaso
3. invadano	invadessero	avessero invaso

PASSATO PROSSIMO abbia invaso *etc*

INFINITIVE / *GERUND* / *PAST PARTICIPLE*

INFINITIVE	GERUND	PAST PARTICIPLE
PRESENT	invadendo	invaso
invadere		
PAST		
aver(e) invaso		

INVIARE
117 *to send (off)*

PRESENT
1. invio
2. invii
3. invia
1. inviamo
2. inviate
3. inviano

IMPERFECT
inviavo
inviavi
inviava
inviavamo
inviavate
inviavano

FUTURE
invierò
invierai
invierà
invieremo
invierete
invieranno

PASSATO REMOTO
1. inviai
2. inviasti
3. inviò
1. inviammo
2. inviaste
3. inviarono

PASSATO PROSSIMO
ho inviato
hai inviato
ha inviato
abbiamo inviato
avete inviato
hanno inviato

PLUPERFECT
avevo inviato
avevi inviato
aveva inviato
avevamo inviato
avevate inviato
avevano inviato

PAST ANTERIOR
ebbi inviato *etc*

FUTURE PERFECT
avrò inviato *etc*

CONDITIONAL

PRESENT
1. invierei
2. invieresti
3. invierebbe
1. invieremmo
2. inviereste
3. invierebbero

PAST
avrei inviato
avresti inviato
avrebbe inviato
avremmo inviato
avreste inviato
avrebbero inviato

IMPERATIVE

invia
invii
inviamo
inviate
inviino

SUBJUNCTIVE

PRESENT
1. invii
2. invii
3. invii
1. inviamo
2. inviate
3. inviino

IMPERFECT
inviassi
inviassi
inviasse
inviassimo
inviaste
inviassero

PLUPERFECT
avessi inviato
avessi inviato
avesse inviato
avessimo inviato
aveste inviato
avessero inviato

PASSATO PROSSIMO abbia inviato *etc*

INFINITIVE

PRESENT
inviare

PAST
aver(e) inviato

GERUND

inviando

PAST PARTICIPLE

inviato

PRESENT	IMPERFECT	FUTURE
1. mi lavo	mi lavavo	mi laverò
2. ti lavi	ti lavavi	ti laverai
3. si lava	si lavava	si laverà
1. ci laviamo	ci lavavamo	ci laveremo
2. vi lavate	vi lavavate	vi laverete
3. si lavano	si lavavano	si laveranno

PASSATO REMOTO	*PASSATO PROSSIMO*	PLUPERFECT
1. mi lavai	mi sono lavato/a	mi ero lavato/a
2. ti lavasti	ti sei lavato/a	ti eri lavato/a
3. si lavò	si è lavato/a	si era lavato/a
1. ci lavammo	ci siamo lavati/e	ci eravamo lavati/e
2. vi lavaste	vi siete lavati/e	vi eravate lavati/e
3. si lavarono	si sono lavati/e	si erano lavati/e

PAST ANTERIOR		FUTURE PERFECT
mi fui lavato/a *etc*		mi sarò lavato/a *etc*

CONDITIONAL / *IMPERATIVE*

PRESENT	PAST	
1. mi laverei	mi sarei lavato/a	
2. ti laveresti	ti saresti lavato/a	lavati
3. si laverebbe	si sarebbe lavato/a	si lavi
1. ci laveremmo	ci saremmo lavati/e	laviamoci
2. vi lavereste	vi sareste lavati/e	lavatevi
3. si laverebbero	si sarebbero lavati/e	si lavino

SUBJUNCTIVE

PRESENT	IMPERFECT	PLUPERFECT
1. mi lavi	mi lavassi	mi fossi lavato/a
2. ti lavi	ti lavassi	ti fossi lavato/a
3. si lavi	si lavasse	si fosse lavato/a
1. ci laviamo	ci lavassimo	ci fossimo lavati/e
2. vi laviate	vi lavaste	vi foste lavati/e
3. si lavino	si lavassero	si fossero lavati/e

PASSATO PROSSIMO mi sia lavato/a *etc*

INFINITIVE	*GERUND*	*PAST PARTICIPLE*
PRESENT	lavandomi *etc*	lavato/a/i/e
lavarsi		
PAST		
essersi lavato/a/i/e		

LEDERE
119 *to damage*

PRESENT	IMPERFECT	FUTURE
1. ledo	ledevo	lederò
2. ledi	ledevi	lederai
3. lede	ledeva	lederà
1. lediamo	ledevamo	lederemo
2. ledete	ledevate	lederete
3. ledono	ledevano	lederanno

PASSATO REMOTO	*PASSATO PROSSIMO*	PLUPERFECT
1. lesi	ho leso	avevo leso
2. ledesti	hai leso	avevi leso
3. lese	ha leso	aveva leso
1. ledemmo	abbiamo leso	avevamo leso
2. ledeste	avete leso	avevate leso
3. lesero	hanno leso	avevano leso

PAST ANTERIOR
ebbi leso *etc*

FUTURE PERFECT
avrò leso *etc*

CONDITIONAL

PRESENT	PAST
1. lederei	avrei leso
2. lederesti	avresti leso
3. lederebbe	avrebbe leso
1. lederemmo	avremmo leso
2. ledereste	avreste leso
3. lederebbero	avrebbero leso

IMPERATIVE

ledi
leda
lediamo
ledete
ledano

SUBJUNCTIVE

PRESENT	IMPERFECT	PLUPERFECT
1. leda	ledessi	avessi leso
2. leda	ledessi	avessi leso
3. leda	ledesse	avesse leso
1. lediamo	ledessimo	avessimo leso
2. lediate	ledeste	aveste leso
3. ledano	ledessero	avessero leso

PASSATO PROSSIMO abbia leso *etc*

INFINITIVE

PRESENT
ledere

PAST
aver(e) leso

GERUND

ledendo

PAST PARTICIPLE

leso

PRESENT	IMPERFECT	FUTURE
1. leggo	leggevo	leggerò
2. leggi	leggevi	leggerai
3. legge	leggeva	leggerà
1. leggiamo	leggevamo	leggeremo
2. leggete	leggevate	leggerete
3. leggono	leggevano	leggeranno
PASSATO REMOTO	***PASSATO PROSSIMO***	**PLUPERFECT**
1. lessi	ho letto	avevo letto
2. leggesti	hai letto	avevi letto
3. lesse	ha letto	aveva letto
1. leggemmo	abbiamo letto	avevamo letto
2. leggeste	avete letto	avevate letto
3. lessero	hanno letto	avevano letto
PAST ANTERIOR		**FUTURE PERFECT**
ebbi letto *etc*		avrò letto *etc*

CONDITIONAL / *IMPERATIVE*

PRESENT	PAST	IMPERATIVE
1. leggerei	avrei letto	
2. leggeresti	avresti letto	leggi
3. leggerebbe	avrebbe letto	legga
1. leggeremmo	avremmo letto	leggiamo
2. leggereste	avreste letto	leggete
3. leggerebbero	avrebbero letto	leggano

SUBJUNCTIVE

PRESENT	IMPERFECT	PLUPERFECT
1. legga	leggessi	avessi letto
2. legga	leggessi	avessi letto
3. legga	leggesse	avesse letto
1. leggiamo	leggessimo	avessimo letto
2. leggiate	leggeste	aveste letto
3. leggano	leggessero	avessero letto

PASSATO PROSSIMO abbia letto *etc*

INFINITIVE / *GERUND* / *PAST PARTICIPLE*

INFINITIVE	GERUND	PAST PARTICIPLE
PRESENT	leggendo	letto
leggere		
PAST		
aver(e) letto		

MANDARE
121 *to send*

PRESENT	IMPERFECT	FUTURE
1. mando	mandavo	manderò
2. mandi	mandavi	manderai
3. manda	mandava	manderà
1. mandiamo	mandavamo	manderemo
2. mandate	mandavate	manderete
3. mandano	mandavano	manderanno

PASSATO REMOTO	*PASSATO PROSSIMO*	PLUPERFECT
1. mandai	ho mandato	avevo mandato
2. mandasti	hai mandato	avevi mandato
3. mandò	ha mandato	aveva mandato
1. mandammo	abbiamo mandato	avevamo mandato
2. mandaste	avete mandato	avevate mandato
3. mandarono	hanno mandato	avevano mandato

PAST ANTERIOR		FUTURE PERFECT
ebbi mandato *etc*		avrò mandato *etc*

CONDITIONAL / *IMPERATIVE*

PRESENT	PAST	
1. manderei	avrei mandato	
2. manderesti	avresti mandato	manda
3. manderebbe	avrebbe mandato	mandi
1. manderemmo	avremmo mandato	mandiamo
2. mandereste	avreste mandato	mandate
3. manderebbero	avrebbero mandato	mandino

SUBJUNCTIVE

PRESENT	IMPERFECT	PLUPERFECT
1. mandi	mandassi	avessi mandato
2. mandi	mandassi	avessi mandato
3. mandi	mandasse	avesse mandato
1. mandiamo	mandassimo	avessimo mandato
2. mandiate	mandaste	aveste mandato
3. mandino	mandassero	avessero mandato

PASSATO PROSSIMO abbia mandato *etc*

INFINITIVE	*GERUND*	*PAST PARTICIPLE*
PRESENT	mandando	mandato
mandare		
PAST		
aver(e) mandato		

PRESENT	IMPERFECT	FUTURE
1. mangio	mangiavo	mangerò
2. mangi	mangiavi	mangerai
3. mangia	mangiava	mangerà
1. mangiamo	mangiavamo	mangeremo
2. mangiate	mangiavate	mangerete
3. mangiano	mangiavano	mangeranno
PASSATO REMOTO	***PASSATO PROSSIMO***	**PLUPERFECT**
1. mangiai	ho mangiato	avevo mangiato
2. mangiasti	hai mangiato	avevi mangiato
3. mangiò	ha mangiato	aveva mangiato
1. mangiammo	abbiamo mangiato	avevamo mangiato
2. mangiaste	avete mangiato	avevate mangiato
3. mangiarono	hanno mangiato	avevano mangiato
PAST ANTERIOR		**FUTURE PERFECT**
ebbi mangiato *etc*		avrò mangiato *etc*

CONDITIONAL / *IMPERATIVE*

PRESENT	PAST	IMPERATIVE
1. mangerei	avrei mangiato	
2. mangeresti	avresti mangiato	mangia
3. mangerebbe	avrebbe mangiato	mangi
1. mangeremmo	avremmo mangiato	mangiamo
2. mangereste	avreste mangiato	mangiate
3. mangerebbero	avrebbero mangiato	mangino

SUBJUNCTIVE

PRESENT	IMPERFECT	PLUPERFECT
1. mangi	mangiassi	avessi mangiato
2. mangi	mangiassi	avessi mangiato
3. mangi	mangiasse	avesse mangiato
1. mangiamo	mangiassimo	avessimo mangiato
2. mangiate	mangiaste	aveste mangiato
3. mangino	mangiassero	avessero mangiato

PASSATO PROSSIMO abbia mangiato *etc*

INFINITIVE	*GERUND*	*PAST PARTICIPLE*
PRESENT	mangiando	mangiato
mangiare		
PAST		
aver(e) mangiato		

MENTIRE
123 *to lie*

PRESENT	**IMPERFECT**	**FUTURE**
1. mento/mentisco	mentivo	mentirò
2. menti/mentisci	mentivi	mentirai
3. mente/mentisce	mentiva	mentirà
1. mentiamo	mentivamo	mentiremo
2. mentite	mentivate	mentirete
3. mentono/mentiscono	mentivano	mentiranno

PASSATO REMOTO	***PASSATO PROSSIMO***	**PLUPERFECT**
1. mentii	ho mentito	avevo mentito
2. mentisti	hai mentito	avevi mentito
3. mentì	ha mentito	aveva mentito
1. mentimmo	abbiamo mentito	avevamo mentito
2. mentiste	avete mentito	avevate mentito
3. mentirono	hanno mentito	avevano mentito

PAST ANTERIOR		**FUTURE PERFECT**
ebbi mentito *etc*		avrò mentito *etc*

CONDITIONAL / *IMPERATIVE*

PRESENT	**PAST**	*IMPERATIVE*
1. mentirei	avrei mentito	
2. mentiresti	avresti mentito	menti/mentisci
3. mentirebbe	avrebbe mentito	menta/mentisca
1. mentiremmo	avremmo mentito	mentiamo
2. mentireste	avreste mentito	mentite
3. mentirebbero	avrebbero mentito	mentano/mentiscano

SUBJUNCTIVE

PRESENT	**IMPERFECT**	**PLUPERFECT**
1. menta/mentisca	mentissi	avessi mentito
2. menta/mentisca	mentissi	avessi mentito
3. menta/mentisca	mentisse	avesse mentito
1. mentiamo	mentissimo	avessimo mentito
2. mentiate	mentiste	aveste mentito
3. mentano/mentiscano	mentissero	avessero mentito

PASSATO PROSSIMO abbia mentito *etc*

INFINITIVE	*GERUND*	*PAST PARTICIPLE*
PRESENT	mentendo	mentito
mentire		
PAST		
aver(e) mentito		

PRESENT	IMPERFECT	FUTURE
1. metto	mettevo	metterò
2. metti	mettevi	metterai
3. mette	metteva	metterà
1. mettiamo	mettevamo	metteremo
2. mettete	mettevate	metterete
3. mettono	mettevano	metteranno

PASSATO REMOTO	*PASSATO PROSSIMO*	PLUPERFECT
1. misi	ho messo	avevo messo
2. mettesti	hai messo	avevi messo
3. mise	ha messo	aveva messo
1. mettemmo	abbiamo messo	avevamo messo
2. metteste	avete messo	avevate messo
3. misero	hanno messo	avevano messo

PAST ANTERIOR		FUTURE PERFECT
ebbi messo *etc*		avrò messo *etc*

CONDITIONAL / *IMPERATIVE*

PRESENT	PAST	IMPERATIVE
1. metterei	avrei messo	
2. metteresti	avresti messo	metti
3. metterebbe	avrebbe messo	metta
1. metteremmo	avremmo messo	mettiamo
2. mettereste	avreste messo	mettete
3. metterebbero	avrebbero messo	mettano

SUBJUNCTIVE

PRESENT	IMPERFECT	PLUPERFECT
1. metta	mettessi	avessi messo
2. metta	mettessi	avessi messo
3. metta	mettesse	avesse messo
1. mettiamo	mettessimo	avessimo messo
2. mettiate	metteste	aveste messo
3. mettano	mettessero	avessero messo

PASSATO PROSSIMO abbia messo *etc*

INFINITIVE	*GERUND*	*PAST PARTICIPLE*
PRESENT	mettendo	messo
mettere		
PAST		
aver(e) messo		

MORDERE
125 *to bite*

PRESENT	IMPERFECT	FUTURE
1. mordo	mordevo	morderò
2. mordi	mordevi	morderai
3. morde	mordeva	morderà
1. mordiamo	mordevamo	morderemo
2. mordete	mordevate	morderete
3. mordono	mordevano	morderanno

PASSATO REMOTO	PASSATO PROSSIMO	PLUPERFECT
1. morsi	ho morso	avevo morso
2. mordesti	hai morso	avevi morso
3. morse	ha morso	aveva morso
1. mordemmo	abbiamo morso	avevamo morso
2. mordeste	avete morso	avevate morso
3. morsero	hanno morso	avevano morso

PAST ANTERIOR
ebbi morso *etc*

FUTURE PERFECT
avrò morso *etc*

CONDITIONAL / *IMPERATIVE*

PRESENT	PAST	IMPERATIVE
1. morderei	avrei morso	
2. morderesti	avresti morso	mordi
3. morderebbe	avrebbe morso	morda
1. morderemmo	avremmo morso	mordiamo
2. mordereste	avreste morso	mordete
3. morderebbero	avrebbero morso	mordano

SUBJUNCTIVE

PRESENT	IMPERFECT	PLUPERFECT
1. morda	mordessi	avessi morso
2. morda	mordessi	avessi morso
3. morda	mordesse	avesse morso
1. mordiamo	mordessimo	avessimo morso
2. mordiate	mordeste	aveste morso
3. mordano	mordessero	avessero morso

PASSATO PROSSIMO abbia morso *etc*

INFINITIVE / *GERUND* / *PAST PARTICIPLE*

PRESENT
mordere

PAST
aver(e) morso

GERUND: mordendo

PAST PARTICIPLE: morso

PRESENT	IMPERFECT	FUTURE
1. muoio	morivo	morirò
2. muori	morivi	morirai
3. muore	moriva	morirà
1. moriamo	morivamo	moriremo
2. morite	morivate	morirete
3. muoiono	morivano	moriranno

PASSATO REMOTO	*PASSATO PROSSIMO*	PLUPERFECT
1. morii	sono morto/a	ero morto/a
2. moristi	sei morto/a	eri morto/a
3. morì	è morto/a	era morto/a
1. morimmo	siamo morti/e	eravamo morti/e
2. moriste	siete morti/e	eravate morti/e
3. morirono	sono morti/e	erano morti/e

PAST ANTERIOR
fui morto/a *etc*

FUTURE PERFECT
sarò morto/a *etc*

CONDITIONAL

PRESENT	PAST
1. morirei	sarei morto/a
2. moriresti	saresti morto/a
3. morirebbe	sarebbe morto/a
1. moriremmo	saremmo morti/e
2. morireste	sareste morti/e
3. morirebbero	sarebbero morti/e

IMPERATIVE

muori
muoia
moriamo
morite
muoiano

SUBJUNCTIVE

PRESENT	IMPERFECT	PLUPERFECT
1. muoia	morissi	fossi morto/a
2. muoia	morissi	fossi morto/a
3. muoia	morisse	fosse morto/a
1. moriamo	morissimo	fossimo morti/e
2. moriate	moriste	foste morti/e
3. muoiano	morissero	fossero morti/e

PASSATO PROSSIMO sia morto/a *etc*

INFINITIVE

PRESENT
morire

PAST
esser(e) morto/a/i/e

GERUND

morendo

PAST PARTICIPLE

morto/a/i/e

MOSTRARE
127 *to show*

PRESENT	IMPERFECT	FUTURE
1. mostro	mostravo	mostrerò
2. mostri	mostravi	mostrerai
3. mostra	mostrava	mostrerà
1. mostriamo	mostravamo	mostreremo
2. mostrate	mostravate	mostrerete
3. mostrano	mostravano	mostreranno

PASSATO REMOTO	***PASSATO PROSSIMO***	**PLUPERFECT**
1. mostrai	ho mostrato	avevo mostrato
2. mostrasti	hai mostrato	avevi mostrato
3. mostrò	ha mostrato	aveva mostrato
1. mostrammo	abbiamo mostrato	avevamo mostrato
2. mostraste	avete mostrato	avevate mostrato
3. mostrarono	hanno mostrato	avevano mostrato

PAST ANTERIOR
ebbi mostrato *etc*

FUTURE PERFECT
avrò mostrato *etc*

CONDITIONAL / *IMPERATIVE*

PRESENT	PAST	IMPERATIVE
1. mostrerei	avrei mostrato	
2. mostreresti	avresti mostrato	mostra
3. mostrerebbe	avrebbe mostrato	mostri
1. mostreremmo	avremmo mostrato	mostriamo
2. mostrereste	avreste mostrato	mostrate
3. mostrerebbero	avrebbero mostrato	mostrino

SUBJUNCTIVE

PRESENT	IMPERFECT	PLUPERFECT
1. mostri	mostrassi	avessi mostrato
2. mostri	mostrassi	avessi mostrato
3. mostri	mostrasse	avesse mostrato
1. mostriamo	mostrassimo	avessimo mostrato
2. mostriate	mostraste	aveste mostrato
3. mostrino	mostrassero	avessero mostrato

PASSATO PROSSIMO abbia mostrato *etc*

INFINITIVE	*GERUND*	*PAST PARTICIPLE*
PRESENT mostrare	mostrando	mostrato
PAST aver(e) mostrato		

PRESENT	IMPERFECT	FUTURE
1. muovo	movevo	moverò
2. muovi	movevi	moverai
3. muove	moveva	moverà
1. m(u)oviamo	movevamo	moveremo
2. m(u)ovete	movevate	moverete
3. muovono	movevano	moveranno
PASSATO REMOTO	***PASSATO PROSSIMO***	**PLUPERFECT**
1. mossi	ho mosso	avevo mosso
2. movesti	hai mosso	avevi mosso
3. mosse	ha mosso	aveva mosso
1. movemmo	abbiamo mosso	avevamo mosso
2. moveste	avete mosso	avevate mosso
3. mossero	hanno mosso	avevano mosso
PAST ANTERIOR		**FUTURE PERFECT**
ebbi mosso *etc*		avrò mosso *etc*

CONDITIONAL / *IMPERATIVE*

PRESENT	PAST	IMPERATIVE
1. moverei	avrei mosso	
2. moveresti	avresti mosso	muovi
3. moverebbe	avrebbe mosso	muova
1. moveremmo	avremmo mosso	moviamo
2. movereste	avreste mosso	movete
3. moverebbero	avrebbero mosso	muovano

SUBJUNCTIVE

PRESENT	IMPERFECT	PLUPERFECT
1. muova	movessi	avessi mosso
2. muova	movessi	avessi mosso
3. muova	movesse	avesse mosso
1. moviamo	movessimo	avessimo mosso
2. moviate	moveste	aveste mosso
3. muovano	movessero	avessero mosso

PASSATO PROSSIMO abbia mosso *etc*

INFINITIVE	*GERUND*	*PAST PARTICIPLE*
PRESENT	muovendo/movendo	mosso
muovere		
PAST		
aver(e) mosso		

Note that **muovere** used intransitively takes **essere** as auxiliary; when an optional u is given, the version with the u is used more commonly.

NASCERE
129 *to be born*

PRESENT	IMPERFECT	FUTURE
1. nasco	nascevo	nascerò
2. nasci	nascevi	nascerai
3. nasce	nasceva	nascerà
1. nasciamo	nascevamo	nasceremo
2. nascete	nascevate	nascerete
3. nascono	nascevano	nasceranno

PASSATO REMOTO	*PASSATO PROSSIMO*	PLUPERFECT
1. nacqui	sono nato/a	ero nato/a
2. nascesti	sei nato/a	eri nato/a
3. nacque	è nato/a	era nato/a
1. nascemmo	siamo nati/e	eravamo nati/e
2. nasceste	siete nati/e	eravate nati/e
3. nacquero	sono nati/e	erano nati/e

PAST ANTERIOR		FUTURE PERFECT
fui nato/a *etc*		sarò nato/a *etc*

CONDITIONAL / *IMPERATIVE*

PRESENT	PAST	IMPERATIVE
1. nascerei	sarei nato/a	
2. nasceresti	saresti nato/a	nasci
3. nascerebbe	sarebbe nato/a	nasca
1. nasceremmo	saremmo nati/e	nasciamo
2. nascereste	sareste nati/e	nascete
3. nascerebbero	sarebbero nati/e	nascano

SUBJUNCTIVE

PRESENT	IMPERFECT	PLUPERFECT
1. nasca	nascessi	fossi nato/a
2. nasca	nascessi	fossi nato/a
3. nasca	nascesse	fosse nato/a
1. nasciamo	nascessimo	fossimo nati/e
2. nasciate	nasceste	foste nati/e
3. nascano	nascessero	fossero nati/e

PASSATO PROSSIMO sia nato/a *etc*

INFINITIVE	*GERUND*	*PAST PARTICIPLE*
PRESENT	nascendo	nato/a/i/e
nascere		
PAST		
esser(e) nato/a/i/e		

PRESENT	IMPERFECT	FUTURE
1. nascondo	nascondevo	nasconderò
2. nascondi	nascondevi	nasconderai
3. nasconde	nascondeva	nasconderà
1. nascondiamo	nascondevamo	nasconderemo
2. nascondete	nascondevate	nasconderete
3. nascondono	nascondevano	nasconderanno

PASSATO REMOTO	PASSATO PROSSIMO	PLUPERFECT
1. nascosi	ho nascosto	avevo nascosto
2. nascondesti	hai nascosto	avevi nascosto
3. nascose	ha nascosto	aveva nascosto
1. nascondemmo	abbiamo nascosto	avevamo nascosto
2. nascondeste	avete nascosto	avevate nascosto
3. nascosero	hanno nascosto	avevano nascosto

PAST ANTERIOR		FUTURE PERFECT
ebbi nascosto *etc*		avrò nascosto *etc*

CONDITIONAL / *IMPERATIVE*

PRESENT	PAST	IMPERATIVE
1. nasconderei	avrei nascosto	
2. nasconderesti	avresti nascosto	nascondi
3. nasconderebbe	avrebbe nascosto	nasconda
1. nasconderemmo	avremmo nascosto	nascondiamo
2. nascondereste	avreste nascosto	nascondete
3. nasconderebbero	avrebbero nascosto	nascondano

SUBJUNCTIVE

PRESENT	IMPERFECT	PLUPERFECT
1. nasconda	nascondessi	avessi nascosto
2. nasconda	nascondessi	avessi nascosto
3. nasconda	nascondesse	avesse nascosto
1. nascondiamo	nascondessimo	avessimo nascosto
2. nascondiate	nascondeste	aveste nascosto
3. nascondano	nascondessero	avessero nascosto

PASSATO PROSSIMO abbia nascosto *etc*

INFINITIVE	*GERUND*	*PAST PARTICIPLE*
PRESENT	nascondendo	nascosto
nascondere		
PAST		
aver(e) nascosto		

NEVICARE
131 *to snow*

PRESENT
3. nevica

IMPERFECT
nevicava

FUTURE
nevicherà

PASSATO REMOTO
3. nevicò

PASSATO PROSSIMO
è nevicato

PLUPERFECT
era nevicato

PAST ANTERIOR
fu nevicato

FUTURE PERFECT
sarà nevicato

CONDITIONAL

PRESENT
3. nevicherebbe

PAST
sarebbe nevicato

IMPERATIVE

SUBJUNCTIVE

PRESENT
3. nevichi

IMPERFECT
nevicasse

PLUPERFECT
fosse nevicato

PASSATO PROSSIMO sia nevicato

INFINITIVE

PRESENT
nevicare

PAST
esser(e) nevicato

GERUND

nevicando

PAST PARTICIPLE

nevicato

Note that **avere** may also be used as the auxiliary, but **essere** is considered more grammatically correct.

PRESENT	IMPERFECT	FUTURE
1. n(u)occio	n(u)ocevo	n(u)ocerò
2. nuoci	n(u)ocevi	n(u)ocerai
3. nuoce	n(u)oceva	n(u)ocerà
1. n(u)ociamo	n(u)ocevamo	n(u)oceremo
2. n(u)ocete	n(u)ocevate	n(u)ocerete
3. n(u)occiono	n(u)ocevano	n(u)oceranno

PASSATO REMOTO	*PASSATO PROSSIMO*	PLUPERFECT
1. nocqui	ho nociuto	avevo nociuto
2. nocesti	hai nociuto	avevi nociuto
3. nocque	ha nociuto	aveva nociuto
1. nocemmo	abbiamo nociuto	avevamo nociuto
2. noceste	avete nociuto	avevate nociuto
3. nocquero	hanno nociuto	avevano nociuto

PAST ANTERIOR
ebbi nociuto *etc*

FUTURE PERFECT
avrò nociuto *etc*

CONDITIONAL / *IMPERATIVE*

PRESENT	PAST	IMPERATIVE
1. n(u)ocerei	avrei nociuto	
2. n(u)oceresti	avresti nociuto	nuoci
3. n(u)ocerebbe	avrebbe nociuto	n(u)occia
1. n(u)oceremmo	avremmo nociuto	nociamo
2. n(u)ocereste	avreste nociuto	nocete
3. n(u)ocerebbero	avrebbero nociuto	n(u)occiano

SUBJUNCTIVE

PRESENT	IMPERFECT	PLUPERFECT
1. n(u)occia	n(u)ocessi	avessi nociuto
2. noccia	n(u)ocessi	avessi nociuto
3. noccia	n(u)ocesse	avesse nociuto
1. nociamo	n(u)ocessimo	avessimo nociuto
2. nociate	n(u)oceste	aveste nociuto
3. n(u)occiano	n(u)ocessero	avessero nociuto

PASSATO PROSSIMO abbia nociuto *etc*

INFINITIVE / *GERUND* / *PAST PARTICIPLE*

PRESENT
n(u)ocere

PAST
aver(e) nociuto

GERUND: n(u)ocendo

PAST PARTICIPLE: nociuto

Note that the variant with the u is more commonly used.

NUOTARE
133 *to swim*

PRESENT	IMPERFECT	FUTURE
1. nuoto	nuotavo	nuoterò
2. nuoti	nuotavi	nuoterai
3. nuota	nuotava	nuoterà
1. nuotiamo	nuotavamo	nuoteremo
2. nuotate	nuotavate	nuoterete
3. nuotano	nuotavano	nuoteranno

PASSATO REMOTO	*PASSATO PROSSIMO*	PLUPERFECT
1. nuotai	ho nuotato	avevo nuotato
2. nuotasti	hai nuotato	avevi nuotato
3. nuotò	ha nuotato	aveva nuotato
1. nuotammo	abbiamo nuotato	avevamo nuotato
2. nuotaste	avete nuotato	avevate nuotato
3. nuotarono	hanno nuotato	avevano nuotato

PAST ANTERIOR		FUTURE PERFECT
ebbi nuotato *etc*		avrò nuotato *etc*

CONDITIONAL / *IMPERATIVE*

PRESENT	PAST	IMPERATIVE
1. nuoterei	avrei nuotato	
2. nuoteresti	avresti nuotato	nuota
3. nuoterebbe	avrebbe nuotato	nuoti
1. nuoteremmo	avremmo nuotato	nuotiamo
2. nuotereste	avreste nuotato	nuotate
3. nuoterebbero	avrebbero nuotato	nuotino

SUBJUNCTIVE

PRESENT	IMPERFECT	PLUPERFECT
1. nuoti	nuotassi	avessi nuotato
2. nuoti	nuotassi	avessi nuotato
3. nuoti	nuotasse	avesse nuotato
1. nuotiamo	nuotassimo	avessimo nuotato
2. nuotiate	nuotaste	aveste nuotato
3. nuotino	nuotassero	avessero nuotato

PASSATO PROSSIMO abbia nuotato *etc*

INFINITIVE	*GERUND*	*PAST PARTICIPLE*
PRESENT	nuotando	nuotato
nuotare		
PAST		
aver(e) nuotato		

PRESENT	**IMPERFECT**	**FUTURE**
1. offendo	offendevo	offenderò
2. offendi	offendevi	offenderai
3. offende	offendeva	offenderà
1. offendiamo	offendevamo	offenderemo
2. offendete	offendevate	offenderete
3. offendono	offendevano	offenderanno
PASSATO REMOTO	***PASSATO PROSSIMO***	**PLUPERFECT**
1. offesi	ho offeso	avevo offeso
2. offendesti	hai offeso	avevi offeso
3. offese	ha offeso	aveva offeso
1. offendemmo	abbiamo offeso	avevamo offeso
2. offendeste	avete offeso	avevate offeso
3. offesero	hanno offeso	avevano offeso
PAST ANTERIOR		**FUTURE PERFECT**
ebbi offeso *etc*		avrò offeso *etc*

CONDITIONAL / *IMPERATIVE*

PRESENT	**PAST**	
1. offenderei	avrei offeso	
2. offenderesti	avresti offeso	offendi
3. offenderebbe	avrebbe offeso	offenda
1. offenderemmo	avremmo offeso	offendiamo
2. offendereste	avreste offeso	offendete
3. offenderebbero	avrebbero offeso	offendano

SUBJUNCTIVE

PRESENT	**IMPERFECT**	**PLUPERFECT**
1. offenda	offendessi	avessi offeso
2. offenda	offendessi	avessi offeso
3. offenda	offendesse	avesse offeso
1. offendiamo	offendessimo	avessimo offeso
2. offendiate	offendeste	aveste offeso
3. offendano	offendessero	avessero offeso

PASSATO PROSSIMO abbia offeso *etc*

INFINITIVE	*GERUND*	*PAST PARTICIPLE*
PRESENT	offendendo	offeso
offendere		
PAST		
aver(e) offeso		

OFFRIRE
135 *to offer*

PRESENT	IMPERFECT	FUTURE
1. offro	offrivo	offrirò
2. offri	offrivi	offrirai
3. offre	offriva	offrirà
1. offriamo	offrivamo	offriremo
2. offrite	offrivate	offrirete
3. offrono	offrivano	offriranno
PASSATO REMOTO	***PASSATO PROSSIMO***	**PLUPERFECT**
1. offrii/offersi	ho offerto	avevo offerto
2. offristi	hai offerto	avevi offerto
3. offrì/offerse	ha offerto	aveva offerto
1. offrimmo	abbiamo offerto	avevamo offerto
2. offriste	avete offerto	avevate offerto
3. offrirono/offersero	hanno offerto	avevano offerto
PAST ANTERIOR		**FUTURE PERFECT**
ebbi offerto *etc*		avrò offerto *etc*

CONDITIONAL / *IMPERATIVE*

PRESENT	PAST	IMPERATIVE
1. offrirei	avrei offerto	
2. offriresti	avresti offerto	offri
3. offrirebbe	avrebbe offerto	offra
1. offriremmo	avremmo offerto	offriamo
2. offrireste	avreste offerto	offrite
3. offrirebbero	avrebbero offerto	offrano

SUBJUNCTIVE

PRESENT	IMPERFECT	PLUPERFECT
1. offra	offrissi	avessi offerto
2. offra	offrissi	avessi offerto
3. offra	offrisse	avesse offerto
1. offriamo	offrissimo	avessimo offerto
2. offriate	offriste	aveste offerto
3. offrano	offrissero	avessero offerto

PASSATO PROSSIMO abbia offerto *etc*

INFINITIVE / *GERUND* / *PAST PARTICIPLE*

PRESENT
offrire

PAST
aver(e) offerto

GERUND: offrendo

PAST PARTICIPLE: offerto

PRESENT
1. pago
2. paghi
3. paga
1. paghiamo
2. pagate
3. pagano

IMPERFECT
pagavo
pagavi
pagava
pagavamo
pagavate
pagavano

FUTURE
pagherò
pagherai
pagherà
pagheremo
pagherete
pagheranno

PASSATO REMOTO
1. pagai
2. pagasti
3. pagò
1. pagammo
2. pagaste
3. pagarono

PASSATO PROSSIMO
ho pagato
hai pagato
ha pagato
abbiamo pagato
avete pagato
hanno pagato

PLUPERFECT
avevo pagato
avevi pagato
aveva pagato
avevamo pagato
avevate pagato
avevano pagato

PAST ANTERIOR
ebbi pagato *etc*

FUTURE PERFECT
avrò pagato *etc*

CONDITIONAL

PRESENT
1. pagherei
2. pagheresti
3. pagherebbe
1. pagheremmo
2. paghereste
3. pagherebbero

PAST
avrei pagato
avresti pagato
avrebbe pagato
avremmo pagato
avreste pagato
avrebbero pagato

IMPERATIVE

paga
paghi
paghiamo
pagate
paghino

SUBJUNCTIVE

PRESENT
1. paghi
2. paghi
3. paghi
1. paghiamo
2. paghiate
3. paghino

IMPERFECT
pagassi
pagassi
pagasse
pagassimo
pagaste
pagassero

PLUPERFECT
avessi pagato
avessi pagato
avesse pagato
avessimo pagato
aveste pagato
avessero pagato

PASSATO PROSSIMO abbia pagato *etc*

INFINITIVE

PRESENT
pagare

PAST
aver(e) pagato

GERUND

pagando

PAST PARTICIPLE

pagato

PARERE
137 *to seem*

PRESENT	IMPERFECT	FUTURE
1. paio	parevo	parrò
2. pari	parevi	parrai
3. pare	pareva	parrà
1. paiamo	parevamo	parremo
2. parete	parevate	parrete
3. paiono	parevano	parranno

PASSATO REMOTO	*PASSATO PROSSIMO*	PLUPERFECT
1. parvi/parsi	sono parso/a	ero parso/a
2. paresti	sei parso/a	eri parso/a
3. parve/parse	è parso/a	era parso/a
1. paremmo	siamo parsi/e	eravamo parsi/e
2. pareste	siete parsi/e	eravate parsi/e
3. parvero/parsero	sono parsi/e	erano parsi/e

PAST ANTERIOR
fui parso/a *etc*

FUTURE PERFECT
sarò parso/a *etc*

CONDITIONAL

PRESENT	PAST
1. parrei	sarei parso/a
2. parresti	saresti parso/a
3. parrebbe	sarebbe parso/a
1. parremmo	saremmo parsi/e
2. parreste	sareste parsi/e
3. parrebbero	sarebbero parsi/e

IMPERATIVE

SUBJUNCTIVE

PRESENT	IMPERFECT	PLUPERFECT
1. paia	paressi	fossi parso/a
2. paia	paressi	fossi parso/a
3. paia	paresse	fosse parso/a
1. paiamo	paressimo	fossimo parsi/e
2. paiate	pareste	foste parsi/e
3. paiano	paressero	fossero parsi/e

PASSATO PROSSIMO sia parso/a *etc*

INFINITIVE

PRESENT
parere

PAST
esser(e) parso/a/i/e

GERUND

parendo

PAST PARTICIPLE

parso/a/i/e

Note that this verb is most commonly used in impersonal constructions, eg: **I seem to have understood everything** mi pare di aver capito tutto.

PRESENT	**IMPERFECT**	**FUTURE**
1. parlo	parlavo	parlerò
2. parli	parlavi	parlerai
3. parla	parlava	parlerà
1. parliamo	parlavamo	parleremo
2. parlate	parlavate	parlerete
3. parlano	parlavano	parleranno

PASSATO REMOTO	***PASSATO PROSSIMO***	**PLUPERFECT**
1. parlai	ho parlato	avevo parlato
2. parlasti	hai parlato	avevi parlato
3. parlò	ha parlato	aveva parlato
1. parlammo	abbiamo parlato	avevamo parlato
2. parlaste	avete parlato	avevate parlato
3. parlarono	hanno parlato	avevano parlato

PAST ANTERIOR
ebbi parlato *etc*

FUTURE PERFECT
avrò parlato *etc*

CONDITIONAL

PRESENT	**PAST**
1. parlerei	avrei parlato
2. parleresti	avresti parlato
3. parlerebbe	avrebbe parlato
1. parleremmo	avremmo parlato
2. parlereste	avreste parlato
3. parlerebbero	avrebbero parlato

IMPERATIVE

parla
parli
parliamo
parlate
parlino

SUBJUNCTIVE

PRESENT	**IMPERFECT**	**PLUPERFECT**
1. parli	parlassi	avessi parlato
2. parli	parlassi	avessi parlato
3. parli	parlasse	avesse parlato
1. parliamo	parlassimo	avessimo parlato
2. parliate	parlaste	aveste parlato
3. parlino	parlassero	avessero parlato

PASSATO PROSSIMO abbia parlato *etc*

INFINITIVE

PRESENT
parlare

PAST
aver(e) parlato

GERUND

parlando

PAST PARTICIPLE

parlato

PARTIRE
139 *to leave*

PRESENT	**IMPERFECT**	**FUTURE**
1. parto	partivo	partirò
2. parti	partivi	partirai
3. parte	partiva	partirà
1. partiamo	partivamo	partiremo
2. partite	partivate	partirete
3. partono	partivano	partiranno
PASSATO REMOTO	***PASSATO PROSSIMO***	**PLUPERFECT**
1. partii	sono partito/a	ero partito/a
2. partisti	sei partito/a	eri partito/a
3. partì	è partito/a	era partito/a
1. partimmo	siamo partiti/e	eravamo partiti/e
2. partiste	siete partiti/e	eravate partiti/e
3. partirono	sono partiti/e	erano partiti/e
PAST ANTERIOR		**FUTURE PERFECT**
fui partito/a *etc*		sarò partito/a *etc*

CONDITIONAL		*IMPERATIVE*
PRESENT	**PAST**	
1. partirei	sarei partito/a	
2. partiresti	saresti partito/a	parti
3. partirebbe	sarebbe partito/a	parta
1. partiremmo	saremmo partiti/e	partiamo
2. partireste	sareste partiti/e	partite
3. partirebbero	sarebbero partiti/e	partano

SUBJUNCTIVE		
PRESENT	**IMPERFECT**	**PLUPERFECT**
1. parta	partissi	fossi partito/a
2. parta	partissi	fossi partito/a
3. parta	partisse	fosse partito/a
1. partiamo	partissimo	fossimo partiti/e
2. partiate	partiste	foste partiti/e
3. partano	partissero	fossero partiti/e
PASSATO PROSSIMO	sia partito/a *etc*	

INFINITIVE	*GERUND*	*PAST PARTICIPLE*
PRESENT	partendo	partito/a/i/e
partire		
PAST		
esser(e) partito/a/i/e		

PRESENT	**IMPERFECT**	**FUTURE**
1. passo	passavo	passerò
2. passi	passavi	passerai
3. passa	passava	passerà
1. passiamo	passavamo	passeremo
2. passate	passavate	passerete
3. passano	passavano	passeranno
PASSATO REMOTO	***PASSATO PROSSIMO***	**PLUPERFECT**
1. passai	sono passato/a	ero passato/a
2. passasti	sei passato/a	eri passato/a
3. passò	è passato/a	era passato/a
1. passammo	siamo passati/e	eravamo passati/e
2. passaste	siete passati/e	eravate passati/e
3. passarono	sono passati/e	erano passati/e
PAST ANTERIOR		**FUTURE PERFECT**
fui passato/a *etc*		sarò passato/a *etc*

CONDITIONAL / *IMPERATIVE*

PRESENT	**PAST**	
1. passerei	sarei passato/a	
2. passeresti	saresti passato/a	passa
3. passerebbe	sarebbe passato/a	passi
1. passeremmo	saremmo passati/e	passiamo
2. passereste	sareste passati/e	passate
3. passerebbero	sarebbero passati/e	passino

SUBJUNCTIVE

PRESENT	**IMPERFECT**	**PLUPERFECT**
1. passi	passassi	fossi passato/a
2. passi	passassi	fossi passato/a
3. passi	passasse	fosse passato/a
1. passiamo	passassimo	fossimo passati/e
2. passiate	passaste	foste passati/e
3. passino	passassero	fossero passati/e

PASSATO PROSSIMO sia passato/a *etc*

INFINITIVE / *GERUND* / *PAST PARTICIPLE*

PRESENT
passare

PAST
esser(e) passato/a/i/e

passando

passato/a/i/e

Note that when transitive the auxiliary is **avere,** eg: **I have passed the book to my friend** ho passato il libro al mio amico.

PASSEGGIARE
141 *to go for a walk*

PRESENT	IMPERFECT	FUTURE
1. passeggio	passeggiavo	passeggerò
2. passeggi	passeggiavi	passeggerai
3. passeggia	passeggiava	passeggerà
1. passeggiamo	passeggiavamo	passeggeremo
2. passeggiate	passeggiavate	passeggerete
3. passeggiano	passeggiavano	passeggeranno
PASSATO REMOTO	***PASSATO PROSSIMO***	**PLUPERFECT**
1. passeggiai	ho passeggiato	avevo passeggiato
2. passeggiasti	hai passeggiato	avevi passeggiato
3. passeggiò	ha passeggiato	aveva passeggiato
1. passeggiammo	abbiamo passeggiato	avevamo passeggiato
2. passeggiaste	avete passeggiato	avevate passeggiato
3. passeggiarono	hanno passeggiato	avevano passeggiato
PAST ANTERIOR		**FUTURE PERFECT**
ebbi passeggiato *etc*		avrò passeggiato *etc*

CONDITIONAL / IMPERATIVE

PRESENT	PAST	IMPERATIVE
1. passeggerei	avrei passeggiato	
2. passeggeresti	avresti passeggiato	passeggia
3. passeggerebbe	avrebbe passeggiato	passeggi
1. passeggeremmo	avremmo passeggiato	passeggiamo
2. passeggereste	avreste passeggiato	passeggiate
3. passeggerebbero	avrebbero passeggiato	passeggino

SUBJUNCTIVE

PRESENT	IMPERFECT	PLUPERFECT
1. passeggi	passeggiassi	avessi passeggiato
2. passeggi	passeggiassi	avessi passeggiato
3. passeggi	passeggiasse	avesse passeggiato
1. passeggiamo	passeggiassimo	avessimo passeggiato
2. passeggiate	passeggiaste	aveste passeggiato
3. passeggino	passeggiassero	avessero passeggiato

PASSATO PROSSIMO abbia passeggiato *etc*

INFINITIVE	GERUND	PAST PARTICIPLE
PRESENT	passeggiando	passeggiato
passeggiare		
PAST		
aver(e) passeggiato		

PRESENT	IMPERFECT	FUTURE
1. penso	pensavo	penserò
2. pensi	pensavi	penserai
3. pensa	pensava	penserà
1. pensiamo	pensavamo	penseremo
2. pensate	pensavate	penserete
3. pensano	pensavano	penseranno
PASSATO REMOTO	***PASSATO PROSSIMO***	**PLUPERFECT**
1. pensai	ho pensato	avevo pensato
2. pensasti	hai pensato	avevi pensato
3. pensò	ha pensato	aveva pensato
1. pensammo	abbiamo pensato	avevamo pensato
2. pensaste	avete pensato	avevate pensato
3. pensarono	hanno pensato	avevano pensato
PAST ANTERIOR		**FUTURE PERFECT**
ebbi pensato *etc*		avrò pensato *etc*

CONDITIONAL / *IMPERATIVE*

PRESENT	PAST	
1. penserei	avrei pensato	
2. penseresti	avresti pensato	pensa
3. penserebbe	avrebbe pensato	pensi
1. penseremmo	avremmo pensato	pensiamo
2. pensereste	avreste pensato	pensate
3. penserebbero	avrebbero pensato	pensino

SUBJUNCTIVE

PRESENT	IMPERFECT	PLUPERFECT
1. pensi	pensassi	avessi pensato
2. pensi	pensassi	avessi pensato
3. pensi	pensasse	avesse pensato
1. pensiamo	pensassimo	avessimo pensato
2. pensiate	pensaste	aveste pensato
3. pensino	pensassero	avessero pensato

PASSATO PROSSIMO abbia pensato *etc*

INFINITIVE / *GERUND* / *PAST PARTICIPLE*

INFINITIVE	GERUND	PAST PARTICIPLE
PRESENT	pensando	pensato
pensare		
PAST		
aver(e) pensato		

PERDERE
143 *to lose*

PRESENT	**IMPERFECT**	**FUTURE**
1. perdo	perdevo	perderò
2. perdi	perdevi	perderai
3. perde	perdeva	perderà
1. perdiamo	perdevamo	perderemo
2. perdete	perdevate	perderete
3. perdono	perdevano	perderanno
PASSATO REMOTO	***PASSATO PROSSIMO***	**PLUPERFECT**
1. persi	ho perduto/perso	avevo perduto/perso
2. perdesti	hai perduto/perso	avevi perduto/perso
3. perse	ha perduto/perso	aveva perduto/perso
1. perdemmo	abbiamo perduto/perso	avevamo perduto/perso
2. perdeste	avete perduto/perso	avevate perduto/perso
3. persero	hanno perduto/perso	avevano perduto/perso
PAST ANTERIOR		**FUTURE PERFECT**
ebbi perduto/perso *etc*		avrò perduto/perso *etc*

CONDITIONAL / *IMPERATIVE*

PRESENT	**PAST**	
1. perderei	avrei perduto/perso	
2. perderesti	avresti perduto/perso	perdi
3. perderebbe	avrebbe perduto/perso	perda
1. perderemmo	avremmo perduto/perso	perdiamo
2. perdereste	avreste perduto/perso	perdete
3. perderebbero	avrebbero perduto/perso	perdano

SUBJUNCTIVE

PRESENT	**IMPERFECT**	**PLUPERFECT**
1. perda	perdessi	avessi perduto/perso
2. perda	perdessi	avessi perduto/perso
3. perda	perdesse	avesse perduto/perso
1. perdiamo	perdessimo	avessimo perduto/perso
2. perdiate	perdeste	aveste perduto/perso
3. perdano	perdessero	avessero perduto/perso

PASSATO PROSSIMO abbia perduto/perso *etc*

INFINITIVE	*GERUND*	*PAST PARTICIPLE*
PRESENT	perdendo	perduto/perso
perdere		
PAST		
aver(e) perduto/perso		

Note that perdere has two past participles, perduto and perso, which are entirely interchangeable.

PRESENT	IMPERFECT	FUTURE
1. persuado	persuadevo	persuaderò
2. persuadi	persuadevi	persuaderai
3. persuade	persuadeva	persuaderà
1. persuadiamo	persuadevamo	persuaderemo
2. persuadete	persuadevate	persuaderete
3. persuadono	persuadevano	persuaderanno

PASSATO REMOTO	*PASSATO PROSSIMO*	PLUPERFECT
1. persuasi	ho persuaso	avevo persuaso
2. persuadesti	hai persuaso	avevi persuaso
3. persuase	ha persuaso	aveva persuaso
1. persuademmo	abbiamo persuaso	avevamo persuaso
2. persuadeste	avete persuaso	avevate persuaso
3. persuasero	hanno persuaso	avevano persuaso

PAST ANTERIOR
ebbi persuaso *etc*

FUTURE PERFECT
avrò persuaso *etc*

CONDITIONAL / *IMPERATIVE*

PRESENT	PAST	IMPERATIVE
1. persuaderei	avrei persuaso	
2. persuaderesti	avresti persuaso	persuadi
3. persuaderebbe	avrebbe persuaso	persuada
1. persuaderemmo	avremmo persuaso	persuadiamo
2. persuadereste	avreste persuaso	persuadete
3. persuaderebbero	avrebbero persuaso	persuadano

SUBJUNCTIVE

PRESENT	IMPERFECT	PLUPERFECT
1. persuada	persuadessi	avessi persuaso
2. persuada	persuadessi	avessi persuaso
3. persuada	persuadesse	avesse persuaso
1. persuadiamo	persuadessimo	avessimo persuaso
2. persuadiate	persuadeste	aveste persuaso
3. persuadano	persuadessero	avessero persuaso

PASSATO PROSSIMO abbia persuaso *etc*

INFINITIVE / *GERUND* / *PAST PARTICIPLE*

PRESENT
persuadere

PAST
aver(e) persuaso

GERUND: persuadendo

PAST PARTICIPLE: persuaso

PIACERE
145 *to please*

PRESENT	IMPERFECT	FUTURE
1. piaccio	piacevo	piacerò
2. piaci	piacevi	piacerai
3. piace	piaceva	piacerà
1. piacciamo	piacevamo	piaceremo
2. piacete	piacevate	piacerete
3. piacciono	piacevano	piaceranno
PASSATO REMOTO	***PASSATO PROSSIMO***	**PLUPERFECT**
1. piacqui	sono piaciuto/a	ero piaciuto/a
2. piacesti	sei piaciuto/a	eri piaciuto/a
3. piacque	è piaciuto/a	era piaciuto/a
1. piacemmo	siamo piaciuti/e	eravamo piaciuti/e
2. piaceste	siete piaciuti/e	eravate piaciuti/e
3. piacquero	sono piaciuti/e	erano piaciuti/e
PAST ANTERIOR		**FUTURE PERFECT**
fui piaciuto/a *etc*		sarò piaciuto/a *etc*

CONDITIONAL / *IMPERATIVE*

PRESENT	PAST
1. piacerei	sarei piaciuto/a
2. piaceresti	saresti piaciuto/a
3. piacerebbe	sarebbe piaciuto/a
1. piaceremmo	saremmo piaciuti/e
2. piacereste	sareste piaciuti/e
3. piacerebbero	sarebbero piaciuti/e

SUBJUNCTIVE

PRESENT	IMPERFECT	PLUPERFECT
1. piaccia	piacessi	fossi piaciuto/a
2. piaccia	piacessi	fossi piaciuto/a
3. piaccia	piacesse	fosse piaciuto/a
1. piacciamo	piacessimo	fossimo piaciuti/e
2. piacciate	piaceste	foste piaciuti/e
3. piacciano	piacessero	fossero piaciuti/e

PASSATO PROSSIMO sia piaciuto/a *etc*

INFINITIVE	*GERUND*	*PAST PARTICIPLE*
PRESENT	piacendo	piaciuto/a/i/e
piacere		
PAST		
esser(e) piaciuto/a/i/e		

Note that **piacere** is most commonly used impersonally in the third person singular and plural.

PRESENT	IMPERFECT	FUTURE
1. piango	piangevo	piangerò
2. piangi	piangevi	piangerai
3. piange	piangeva	piangerà
1. piangiamo	piangevamo	piangeremo
2. piangete	piangevate	piangerete
3. piangono	piangevano	piangeranno
PASSATO REMOTO	***PASSATO PROSSIMO***	**PLUPERFECT**
1. piansi	ho pianto	avevo pianto
2. piangesti	hai pianto	avevi pianto
3. pianse	ha pianto	aveva pianto
1. piangemmo	abbiamo pianto	avevamo pianto
2. piangeste	avete pianto	avevate pianto
3. piansero	hanno pianto	avevano pianto
PAST ANTERIOR		**FUTURE PERFECT**
ebbi pianto *etc*		avrò pianto *etc*

CONDITIONAL / *IMPERATIVE*

PRESENT	PAST	IMPERATIVE
1. piangerei	avrei pianto	
2. piangeresti	avresti pianto	piangi
3. piangerebbe	avrebbe pianto	pianga
1. piangeremmo	avremmo pianto	piangiamo
2. piangereste	avreste pianto	piangete
3. piangerebbero	avrebbero pianto	piangano

SUBJUNCTIVE

PRESENT	IMPERFECT	PLUPERFECT
1. pianga	piangessi	avessi pianto
2. pianga	piangessi	avessi pianto
3. pianga	piangesse	avesse pianto
1. piangiamo	piangessimo	avessimo pianto
2. piangiate	piangeste	aveste pianto
3. piangano	piangessero	avessero pianto

PASSATO PROSSIMO abbia pianto *etc*

INFINITIVE	*GERUND*	*PAST PARTICIPLE*
PRESENT piangere	piangendo	pianto
PAST aver(e) pianto		

PIOVERE
147 *to rain*

PRESENT
3. piove

IMPERFECT
pioveva

FUTURE
pioverà

PASSATO REMOTO
3. piovve

PASSATO PROSSIMO
è piovuto

PLUPERFECT
era piovuto

PAST ANTERIOR
fu piovuto

FUTURE PERFECT
sarà piovuto

CONDITIONAL

PRESENT
3. pioverebbe

PAST
sarebbe piovuto

IMPERATIVE

SUBJUNCTIVE

PRESENT
3. piova

IMPERFECT
piovesse

PLUPERFECT
fosse piovuto

PASSATO PROSSIMO sia piovuto

INFINITIVE

PRESENT
piovere

PAST
esser(e) piovuto

GERUND
piovendo

PAST PARTICIPLE
piovuto

Note that **avere** may also be used as the auxiliary, but **essere** is considered more grammatically correct.

PRESENT
1. porgo
2. porgi
3. porge
1. porgiamo
2. porgete
3. porgono

IMPERFECT
porgevo
porgevi
porgeva
porgevamo
porgevate
porgevano

FUTURE
porgerò
porgerai
porgerà
porgeremo
porgerete
porgeranno

PASSATO REMOTO
1. porsi
2. porgesti
3. porse
1. porgemmo
2. porgeste
3. porsero

PASSATO PROSSIMO
ho porto
hai porto
ha porto
abbiamo porto
avete porto
hanno porto

PLUPERFECT
avevo porto
avevi porto
aveva porto
avevamo porto
avevate porto
avevano porto

PAST ANTERIOR
ebbi porto *etc*

FUTURE PERFECT
avrò porto *etc*

CONDITIONAL

PRESENT
1. porgerei
2. porgeresti
3. porgerebbe
1. porgeremmo
2. porgereste
3. porgerebbero

PAST
avrei porto
avresti porto
avrebbe porto
avremmo porto
avreste porto
avrebbero porto

IMPERATIVE

porgi
porga
porgiamo
porgete
porgano

SUBJUNCTIVE

PRESENT
1. porga
2. porga
3. porga
1. porgiamo
2. porgiate
3. porgano

IMPERFECT
porgessi
porgessi
porgesse
porgessimo
porgeste
porgessero

PLUPERFECT
avessi porto
avessi porto
avesse porto
avessimo porto
aveste porto
avessero porto

PASSATO PROSSIMO abbia porto *etc*

INFINITIVE

PRESENT
porgere

PAST
aver(e) porto

GERUND

porgendo

PAST PARTICIPLE

porto

PORRE
149 *to put*

PRESENT	IMPERFECT	FUTURE
1. pongo	ponevo	porrò
2. poni	ponevi	porrai
3. pone	poneva	porrà
1. poniamo	ponevamo	porremo
2. ponete	ponevate	porrete
3. pongono	ponevano	porranno

PASSATO REMOTO	*PASSATO PROSSIMO*	PLUPERFECT
1. posi	ho posto	avevo posto
2. ponesti	hai posto	avevi posto
3. pose	ha posto	aveva posto
1. ponemmo	abbiamo posto	avevamo posto
2. poneste	avete posto	avevate posto
3. posero	hanno posto	avevano posto

PAST ANTERIOR		FUTURE PERFECT
ebbi posto *etc*		avrò posto *etc*

CONDITIONAL / *IMPERATIVE*

PRESENT	PAST	IMPERATIVE
1. porrei	avrei posto	
2. porresti	avresti posto	poni
3. porrebbe	avrebbe posto	ponga
1. porremmo	avremmo posto	poniamo
2. porreste	avreste posto	ponete
3. porrebbero	avrebbero posto	pongano

SUBJUNCTIVE

PRESENT	IMPERFECT	PLUPERFECT
1. ponga	ponessi	avessi posto
2. ponga	ponessi	avessi posto
3. ponga	ponesse	avesse posto
1. poniamo	ponessimo	avessimo posto
2. poniate	poneste	aveste posto
3. pongano	ponessero	avessero posto

PASSATO PROSSIMO abbia posto *etc*

INFINITIVE	*GERUND*	*PAST PARTICIPLE*
PRESENT	ponendo	posto
porre		
PAST		
aver(e) posto		

PRESENT	IMPERFECT	FUTURE
1. porto	portavo	porterò
2. porti	portavi	porterai
3. porta	portava	porterà
1. portiamo	portavamo	porteremo
2. portate	portavate	porterete
3. portano	portavano	porteranno
PASSATO REMOTO	***PASSATO PROSSIMO***	**PLUPERFECT**
1. portai	ho portato	avevo portato
2. portasti	hai portato	avevi portato
3. portò	ha portato	aveva portato
1. portammo	abbiamo portato	avevamo portato
2. portaste	avete portato	avevate portato
3. portarono	hanno portato	avevano portato
PAST ANTERIOR		**FUTURE PERFECT**
ebbi portato *etc*		avrò portato *etc*

CONDITIONAL		*IMPERATIVE*
PRESENT	**PAST**	
1. porterei	avrei portato	
2. porteresti	avresti portato	porta
3. porterebbe	avrebbe portato	porti
1. porteremmo	avremmo portato	portiamo
2. portereste	avreste portato	portate
3. porterebbero	avrebbero portato	portino

SUBJUNCTIVE

PRESENT	IMPERFECT	PLUPERFECT
1. porti	portassi	avessi portato
2. porti	portassi	avessi portato
3. porti	portasse	avesse portato
1. portiamo	portassimo	avessimo portato
2. portiate	portaste	aveste portato
3. portino	portassero	avessero portato

PASSATO PROSSIMO abbia portato *etc*

INFINITIVE	*GERUND*	*PAST PARTICIPLE*
PRESENT	portando	portato
portare		
PAST		
aver(e) portato		

POTERE

151 *to be able to*

PRESENT	**IMPERFECT**	**FUTURE**
1. posso	potevo	potrò
2. puoi	potevi	potrai
3. può	poteva	potrà
1. possiamo	potevamo	potremo
2. potete	potevate	potrete
3. possono	potevano	potranno
PASSATO REMOTO	***PASSATO PROSSIMO***	**PLUPERFECT**
1. potei/potetti	ho potuto	avevo potuto
2. potesti	hai potuto	avevi potuto
3. poté/potette	ha potuto	aveva potuto
1. potemmo	abbiamo potuto	avevamo potuto
2. poteste	avete potuto	avevate potuto
3. poterono/potettero	hanno potuto	avevano potuto
PAST ANTERIOR		**FUTURE PERFECT**
ebbi potuto *etc*		avrò potuto *etc*

CONDITIONAL

IMPERATIVE

PRESENT	**PAST**
1. potrei	avrei potuto
2. potresti	avresti potuto
3. potrebbe	avrebbe potuto
1. potremmo	avremmo potuto
2. potreste	avreste potuto
3. potrebbero	avrebbero potuto

SUBJUNCTIVE

PRESENT	**IMPERFECT**	**PLUPERFECT**
1. possa	potessi	avessi potuto
2. possa	potessi	avessi potuto
3. possa	potesse	avesse potuto
1. possiamo	potessimo	avessimo potuto
2. possiate	poteste	aveste potuto
3. possano	potessero	avessero potuto

PASSATO PROSSIMO abbia potuto *etc*

INFINITIVE	*GERUND*	*PAST PARTICIPLE*
PRESENT	potendo	potuto
potere		
PAST		
aver(e) potuto		

Note that in compound tenses, potere takes the same auxiliary as the following verb, eg: **I was able to come sono potuto/a venire; I was able to eat ho potuto mangiare.**

PRESENT	IMPERFECT	FUTURE
1. preferisco	preferivo	preferirò
2. preferisci	preferivi	preferirai
3. preferisce	preferiva	preferirà
1. preferiamo	preferivamo	preferiremo
2. preferite	preferivate	preferirete
3. preferiscono	preferivano	preferiranno

PASSATO REMOTO	*PASSATO PROSSIMO*	PLUPERFECT
1. preferii	ho preferito	avevo preferito
2. preferisti	hai preferito	avevi preferito
3. preferì	ha preferito	aveva preferito
1. preferimmo	abbiamo preferito	avevamo preferito
2. preferiste	avete preferito	avevate preferito
3. preferirono	hanno preferito	avevano preferito

PAST ANTERIOR		FUTURE PERFECT
ebbi preferito *etc*		avrò preferito *etc*

CONDITIONAL / *IMPERATIVE*

PRESENT	PAST	IMPERATIVE
1. preferirei	avrei preferito	
2. preferiresti	avresti preferito	preferisci
3. preferirebbe	avrebbe preferito	preferisca
1. preferiremmo	avremmo preferito	preferiamo
2. preferireste	avreste preferito	preferite
3. preferirebbero	avrebbero preferito	preferiscano

SUBJUNCTIVE

PRESENT	IMPERFECT	PLUPERFECT
1. preferisca	preferissi	avessi preferito
2. preferisca	preferissi	avessi preferito
3. preferisca	preferisse	avesse preferito
1. preferiamo	preferissimo	avessimo preferito
2. preferiate	preferiste	aveste preferito
3. preferiscano	preferissero	avessero preferito

PASSATO PROSSIMO abbia preferito *etc*

INFINITIVE	*GERUND*	*PAST PARTICIPLE*
PRESENT	preferendo	preferito
preferire		
PAST		
aver(e) preferito		

PRENDERE
153 *to take*

PRESENT	IMPERFECT	FUTURE
1. prendo	prendevo	prenderò
2. prendi	prendevi	prenderai
3. prende	prendeva	prenderà
1. prendiamo	prendevamo	prenderemo
2. prendete	prendevate	prenderete
3. prendono	prendevano	prenderanno
PASSATO REMOTO	***PASSATO PROSSIMO***	**PLUPERFECT**
1. presi	ho preso	avevo preso
2. prendesti	hai preso	avevi preso
3. prese	ha preso	aveva preso
1. prendemmo	abbiamo preso	avevamo preso
2. prendeste	avete preso	avevate preso
3. presero	hanno preso	avevano preso
PAST ANTERIOR		**FUTURE PERFECT**
ebbi preso *etc*		avrò preso *etc*

CONDITIONAL / *IMPERATIVE*

PRESENT	PAST	IMPERATIVE
1. prenderei	avrei preso	
2. prenderesti	avresti preso	prendi
3. prenderebbe	avrebbe preso	prenda
1. prenderemmo	avremmo preso	prendiamo
2. prendereste	avreste preso	prendete
3. prenderebbero	avrebbero preso	prendano

SUBJUNCTIVE

PRESENT	IMPERFECT	PLUPERFECT
1. prenda	prendessi	avessi preso
2. prenda	prendessi	avessi preso
3. prenda	prendesse	avesse preso
1. prendiamo	prendessimo	avessimo preso
2. prendiate	prendeste	aveste preso
3. prendano	prendessero	avessero preso

PASSATO PROSSIMO abbia preso *etc*

INFINITIVE	*GERUND*	*PAST PARTICIPLE*
PRESENT	prendendo	preso
prendere		
PAST		
aver(e) preso		

PRESENT	IMPERFECT	FUTURE
1. produco	producevo	produrrò
2. produci	producevi	produrrai
3. produce	produceva	produrrà
1. produciamo	producevamo	produrremo
2. producete	producevate	produrrete
3. producono	producevano	produrranno

PASSATO REMOTO	*PASSATO PROSSIMO*	PLUPERFECT
1. produssi	ho prodotto	avevo prodotto
2. producesti	hai prodotto	avevi prodotto
3. produsse	ha prodotto	aveva prodotto
1. producemmo	abbiamo prodotto	avevamo prodotto
2. produceste	avete prodotto	avevate prodotto
3. produssero	hanno prodotto	avevano prodotto

PAST ANTERIOR
ebbi prodotto *etc*

FUTURE PERFECT
avrò prodotto *etc*

CONDITIONAL

PRESENT	PAST
1. produrrei	avrei prodotto
2. produrresti	avresti prodotto
3. produrrebbe	avrebbe prodotto
1. produrremmo	avremmo prodotto
2. produrreste	avreste prodotto
3. produrrebbero	avrebbero prodotto

IMPERATIVE

produci
produca
produciamo
producete
producano

SUBJUNCTIVE

PRESENT	IMPERFECT	PLUPERFECT
1. produca	producessi	avessi prodotto
2. produca	producessi	avessi prodotto
3. produca	producesse	avesse prodotto
1. produciamo	producessimo	avessimo prodotto
2. produciate	produceste	aveste prodotto
3. producano	producessero	avessero prodotto

PASSATO PROSSIMO abbia prodotto *etc*

INFINITIVE

PRESENT
produrre

PAST
aver(e) prodotto

GERUND

producendo

PAST PARTICIPLE

prodotto

REDIGERE

155 *to draw up; to edit*

PRESENT	**IMPERFECT**	**FUTURE**
1. redigo	redigevo	redigerò
2. redigi	redigevi	redigerai
3. redige	redigeva	redigerà
1. redigiamo	redigevamo	redigeremo
2. redigete	redigevate	redigerete
3. redigono	redigevano	redigeranno
PASSATO REMOTO	***PASSATO PROSSIMO***	**PLUPERFECT**
1. redassi	ho redatto	avevo redatto
2. redigesti	hai redatto	avevi redatto
3. redasse	ha redatto	aveva redatto
1. redigemmo	abbiamo redatto	avevamo redatto
2. redigeste	avete redatto	avevate redatto
3. redassero	hanno redatto	avevano redatto
PAST ANTERIOR		**FUTURE PERFECT**
ebbi redatto *etc*		avrò redatto *etc*

CONDITIONAL / *IMPERATIVE*

PRESENT	**PAST**	
1. redigerei	avrei redatto	
2. redigeresti	avresti redatto	redigi
3. redigerebbe	avrebbe redatto	rediga
1. redigeremmo	avremmo redatto	redigiamo
2. redigereste	avreste redatto	redigete
3. redigerebbero	avrebbero redatto	redigano

SUBJUNCTIVE

PRESENT	**IMPERFECT**	**PLUPERFECT**
1. rediga	redigessi	avessi redatto
2. rediga	redigessi	avessi redatto
3. rediga	redigesse	avesse redatto
1. redigiamo	redigessimo	avessimo redatto
2. redigiate	redigeste	aveste redatto
3. redigano	redigessero	avessero redatto

PASSATO PROSSIMO abbia redatto *etc*

INFINITIVE	*GERUND*	*PAST PARTICIPLE*
PRESENT	redigendo	redatto
redigere		
PAST		
aver(e) redatto		

PRESENT	IMPERFECT	FUTURE
1. rendo	rendevo	renderò
2. rendi	rendevi	renderai
3. rende	rendeva	renderà
1. rendiamo	rendevamo	renderemo
2. rendete	rendevate	renderete
3. rendono	rendevano	renderanno

PASSATO REMOTO	*PASSATO PROSSIMO*	PLUPERFECT
1. resi	ho reso	avevo reso
2. rendesti	hai reso	avevi reso
3. rese	ha reso	aveva reso
1. rendemmo	abbiamo reso	avevamo reso
2. rendeste	avete reso	avevate reso
3. resero	hanno reso	avevano reso

PAST ANTERIOR		FUTURE PERFECT
ebbi reso *etc*		avrò reso *etc*

CONDITIONAL / IMPERATIVE

PRESENT	PAST	IMPERATIVE
1. renderei	avrei reso	
2. renderesti	avresti reso	rendi
3. renderebbe	avrebbe reso	renda
1. renderemmo	avremmo reso	rendiamo
2. rendereste	avreste reso	rendete
3. renderebbero	avrebbero reso	rendano

SUBJUNCTIVE

PRESENT	IMPERFECT	PLUPERFECT
1. renda	rendessi	avessi reso
2. renda	rendessi	avessi reso
3. renda	rendesse	avesse reso
1. rendiamo	rendessimo	avessimo reso
2. rendiate	rendeste	aveste reso
3. rendano	rendessero	avessero reso

PASSATO PROSSIMO abbia reso *etc*

INFINITIVE / GERUND / PAST PARTICIPLE

INFINITIVE	GERUND	PAST PARTICIPLE
PRESENT: rendere	rendendo	reso
PAST: aver(e) reso		

RESISTERE
157 *to resist*

PRESENT	IMPERFECT	FUTURE
1. resisto	resistevo	resisterò
2. resisti	resistevi	resisterai
3. resiste	resisteva	resisterà
1. resistiamo	resistevamo	resisteremo
2. resistete	resistevate	resisterete
3. resistono	resistevano	resisteranno

PASSATO REMOTO	*PASSATO PROSSIMO*	PLUPERFECT
1. resistei/resistetti	ho resistito	avevo resistito
2. resistesti	hai resistito	avevi resistito
3. resisté/resistette	ha resistito	aveva resistito
1. resistemmo	abbiamo resistito	avevamo resistito
2. resisteste	avete resistito	avevate resistito
3. resisterono/resistettero	hanno resistito	avevano resistito

PAST ANTERIOR		FUTURE PERFECT
ebbi resistito *etc*		avrò resistito *etc*

CONDITIONAL / *IMPERATIVE*

PRESENT	PAST	
1. resisterei	avrei resistito	
2. resisteresti	avresti resistito	resisti
3. resisterebbe	avrebbe resistito	resista
1. resisteremmo	avremmo resistito	resistiamo
2. resistereste	avreste resistito	resistete
3. resisterebbero	avrebbero resistito	resistano

SUBJUNCTIVE

PRESENT	IMPERFECT	PLUPERFECT
1. resista	resistessi	avessi resistito
2. resista	resistessi	avessi resistito
3. resista	resistesse	avesse resistito
1. resistiamo	resistessimo	avessimo resistito
2. resistiate	resisteste	aveste resistito
3. resistano	resistessero	avessero resistito

PASSATO PROSSIMO abbia resistito *etc*

INFINITIVE	*GERUND*	*PAST PARTICIPLE*
PRESENT	resistendo	resistito
resistere		
PAST		
aver(e) resistito		

PRESENT	IMPERFECT	FUTURE
1. resto	restavo	resterò
2. resti	restavi	resterai
3. resta	restava	resterà
1. restiamo	restavamo	resteremo
2. restate	restavate	resterete
3. restano	restavano	resteranno

PASSATO REMOTO	*PASSATO PROSSIMO*	PLUPERFECT
1. restai	sono restato/a	ero restato/a
2. restasti	sei restato/a	eri restato/a
3. restò	è restato/a	era restato/a
1. restammo	siamo restati/e	eravamo restati/e
2. restaste	siete restati/e	eravate restati/e
3. restarono	sono restati/e	erano restati/e

PAST ANTERIOR
fui restato/a *etc*

FUTURE PERFECT
sarò restato/a *etc*

CONDITIONAL

PRESENT	PAST
1. resterei	sarei restato/a
2. resteresti	saresti restato/a
3. resterebbe	sarebbe restato/a
1. resteremmo	saremmo restati/e
2. restereste	sareste restati/e
3. resterebbero	sarebbero restati/e

IMPERATIVE

resta
resti
restiamo
restate
restino

SUBJUNCTIVE

PRESENT	IMPERFECT	PLUPERFECT
1. resti	restassi	fossi restato/a
2. resti	restassi	fossi restato/a
3. resti	restasse	fosse restato/a
1. restiamo	restassimo	fossimo restati/e
2. restiate	restaste	foste restati/e
3. restino	restassero	fossero restati/e

PASSATO PROSSIMO sia restato/a *etc*

INFINITIVE

PRESENT
restare

PAST
esser(e) restato/a/i/e

GERUND

restando

PAST PARTICIPLE

restato/a/i/e

RICEVERE
159 *to receive*

PRESENT	IMPERFECT	FUTURE
1. ricevo	ricevevo	riceverò
2. ricevi	ricevevi	riceverai
3. riceve	riceveva	riceverà
1. riceviamo	ricevevamo	riceveremo
2. ricevete	ricevevate	riceverete
3. ricevono	ricevevano	riceveranno
PASSATO REMOTO	***PASSATO PROSSIMO***	**PLUPERFECT**
1. ricevei/ricevetti	ho ricevuto	avevo ricevuto
2. ricevesti	hai ricevuto	avevi ricevuto
3. ricevé/ricevette	ha ricevuto	aveva ricevuto
1. ricevemmo	abbiamo ricevuto	avevamo ricevuto
2. riceveste	avete ricevuto	avevate ricevuto
3. riceverono/ricevettero	hanno ricevuto	avevano ricevuto
PAST ANTERIOR		**FUTURE PERFECT**
ebbi ricevuto *etc*		avrò ricevuto *etc*

CONDITIONAL / *IMPERATIVE*

PRESENT	PAST	
1. riceverei	avrei ricevuto	
2. riceveresti	avresti ricevuto	ricevi
3. riceverebbe	avrebbe ricevuto	riceva
1. riceveremmo	avremmo ricevuto	riceviamo
2. ricevereste	avreste ricevuto	ricevete
3. riceverebbero	avrebbero ricevuto	ricevano

SUBJUNCTIVE

PRESENT	IMPERFECT	PLUPERFECT
1. riceva	ricevessi	avessi ricevuto
2. riceva	ricevessi	avessi ricevuto
3. riceva	ricevesse	avesse ricevuto
1. riceviamo	ricevessimo	avessimo ricevuto
2. riceviate	riceveste	aveste ricevuto
3. ricevano	ricevessero	avessero ricevuto

PASSATO PROSSIMO abbia ricevuto *etc*

INFINITIVE	*GERUND*	*PAST PARTICIPLE*
PRESENT	ricevendo	ricevuto
ricevere		
PAST		
aver(e) ricevuto		

PRESENT	IMPERFECT	FUTURE
1. rido	ridevo	riderò
2. ridi	ridevi	riderai
3. ride	rideva	riderà
1. ridiamo	ridevamo	rideremo
2. ridete	ridevate	riderete
3. ridono	ridevano	rideranno

PASSATO REMOTO	*PASSATO PROSSIMO*	PLUPERFECT
1. risi	ho riso	avevo riso
2. ridesti	hai riso	avevi riso
3. rise	ha riso	aveva riso
1. ridemmo	abbiamo riso	avevamo riso
2. rideste	avete riso	avevate riso
3. risero	hanno riso	avevano riso

PAST ANTERIOR		FUTURE PERFECT
ebbi riso *etc*		avrò riso *etc*

CONDITIONAL / *IMPERATIVE*

PRESENT	PAST	IMPERATIVE
1. riderei	avrei riso	
2. rideresti	avresti riso	ridi
3. riderebbe	avrebbe riso	rida
1. rideremmo	avremmo riso	ridiamo
2. ridereste	avreste riso	ridete
3. riderebbero	avrebbero riso	ridano

SUBJUNCTIVE

PRESENT	IMPERFECT	PLUPERFECT
1. rida	ridessi	avessi riso
2. rida	ridessi	avessi riso
3. rida	ridesse	avesse riso
1. ridiamo	ridessimo	avessimo riso
2. ridiate	rideste	aveste riso
3. ridano	ridessero	avessero riso

PASSATO PROSSIMO abbia riso *etc*

INFINITIVE	*GERUND*	*PAST PARTICIPLE*
PRESENT	ridendo	riso
ridere		
PAST		
aver(e) riso		

RIEMPIRE
161 *to fill*

PRESENT	**IMPERFECT**	**FUTURE**
1. riempio	riempivo	riempirò
2. riempi	riempivi	riempirai
3. riempie	riempiva	riempirà
1. riempiamo	riempivamo	riempiremo
2. riempite	riempivate	riempirete
3. riempiono	riempivano	riempiranno
PASSATO REMOTO	***PASSATO PROSSIMO***	**PLUPERFECT**
1. riempii	ho riempito	avevo riempito
2. riempisti	hai riempito	avevi riempito
3. riempì	ha riempito	aveva riempito
1. riempimmo	abbiamo riempito	avevamo riempito
2. riempiste	avete riempito	avevate riempito
3. riempirono	hanno riempito	avevano riempito
PAST ANTERIOR		**FUTURE PERFECT**
ebbi riempito *etc*		avrò riempito *etc*

CONDITIONAL		*IMPERATIVE*
PRESENT	**PAST**	
1. riempirei	avrei riempito	
2. riempiresti	avresti riempito	riempi
3. riempirebbe	avrebbe riempito	riempia
1. riempiremmo	avremmo riempito	riempiamo
2. riempireste	avreste riempito	riempite
3. riempirebbero	avrebbero riempito	riempiano

SUBJUNCTIVE

PRESENT	**IMPERFECT**	**PLUPERFECT**
1. riempia	riempissi	avessi riempito
2. riempia	riempissi	avessi riempito
3. riempia	riempisse	avesse riempito
1. riempiamo	riempissimo	avessimo riempito
2. riempiate	riempiste	aveste riempito
3. riempiano	riempissero	avessero riempito

PASSATO PROSSIMO abbia riempito *etc*

INFINITIVE	*GERUND*	*PAST PARTICIPLE*
PRESENT	riempiendo	riempito
riempire		
PAST		
aver(e) riempito		

PRESENT	IMPERFECT	FUTURE
1. rifletto	riflettevo	rifletterò
2. rifletti	riflettevi	rifletterai
3. riflette	rifletteva	rifletterà
1. riflettiamo	riflettevamo	rifletteremo
2. riflettete	riflettevate	rifletterete
3. riflettono	riflettevano	rifletteranno

PASSATO REMOTO	*PASSATO PROSSIMO*	PLUPERFECT
1. riflessi/riflettei	ho riflesso/riflettuto	avevo riflesso/riflettuto
2. riflettesti	hai riflesso/riflettuto	avevi riflesso/riflettuto
3. riflesse/rifletté	ha riflesso/riflettuto	aveva riflesso/riflettuto
1. riflettemmo	abbiamo riflesso/riflettuto	avevamo riflesso/riflettuto
2. rifletteste	avete riflesso/riflettuto	avevate riflesso/riflettuto
3. riflessero/rifletterono	hanno riflesso/riflettuto	avevano riflesso/riflettuto

PAST ANTERIOR
ebbi riflesso/riflettuto *etc*

FUTURE PERFECT
avrò riflesso/riflettuto *etc*

CONDITIONAL

PRESENT	PAST
1. rifletterei	avrei riflesso/riflettuto
2. rifletteresti	avresti riflesso/riflettuto
3. rifletterebbe	avrebbe riflesso/riflettuto
1. rifletteremmo	avremmo riflesso/riflettuto
2. riflettereste	avreste riflesso/riflettuto
3. rifletterebbero	avrebbero riflesso/riflettuto

IMPERATIVE

rifletti
rifletta
riflettiamo
riflettete
riflettano

SUBJUNCTIVE

PRESENT	IMPERFECT	PLUPERFECT
1. rifletta	riflettessi	avessi riflesso/riflettuto
2. rifletta	riflettessi	avessi riflesso/riflettuto
3. rifletta	riflettesse	avesse riflesso/riflettuto
1. riflettiamo	riflettessimo	avessimo riflesso/riflettuto
2. riflettiate	rifletteste	aveste riflesso/riflettuto
3. riflettano	riflettessero	avessero riflesso/riflettuto

PASSATO PROSSIMO abbia riflesso/riflettuto *etc*

INFINITIVE

PRESENT
riflettere

PAST
aver(e) riflesso/riflettuto

GERUND

riflettendo

PAST PARTICIPLE

riflesso/riflettuto

Note that **riflettere** uses the past participle **riflesso** when the verb refers to reflecting light, and **riflettuto** when the verb refers to thinking.

RIMANERE
163 *to remain*

PRESENT	**IMPERFECT**	**FUTURE**
1. rimango	rimanevo	rimarrò
2. rimani	rimanevi	rimarrai
3. rimane	rimaneva	rimarrà
1. rimaniamo	rimanevamo	rimarremo
2. rimanete	rimanevate	rimarrete
3. rimangono	rimanevano	rimarranno
PASSATO REMOTO	***PASSATO PROSSIMO***	**PLUPERFECT**
1. rimasi	sono rimasto/a	ero rimasto/a
2. rimanesti	sei rimasto/a	eri rimasto/a
3. rimase	è rimasto/a	era rimasto/a
1. rimanemmo	siamo rimasti/e	eravamo rimasti/e
2. rimaneste	siete rimasti/e	eravate rimasti/e
3. rimasero	sono rimasti/e	erano rimasti/e
PAST ANTERIOR		**FUTURE PERFECT**
fui rimasto/a *etc*		sarò rimasto/a *etc*

CONDITIONAL / *IMPERATIVE*

PRESENT	**PAST**	
1. rimarrei	sarei rimasto/a	
2. rimarresti	saresti rimasto/a	rimani
3. rimarrebbe	sarebbe rimasto/a	rimanga
1. rimarremmo	saremmo rimasti/e	rimaniamo
2. rimarreste	sareste rimasti/e	rimanete
3. rimarrebbero	sarebbero rimasti/e	rimangano

SUBJUNCTIVE

PRESENT	**IMPERFECT**	**PLUPERFECT**
1. rimanga	rimanessi	fossi rimasto/a
2. rimanga	rimanessi	fossi rimasto/a
3. rimanga	rimanesse	fosse rimasto/a
1. rimaniamo	rimanessimo	fossimo rimasti/e
2. rimaniate	rimaneste	foste rimasti/e
3. rimangano	rimanessero	fossero rimasti/e

PASSATO PROSSIMO sia rimasto/a *etc*

INFINITIVE	*GERUND*	*PAST PARTICIPLE*
PRESENT	rimanendo	rimasto/a/i/e
rimanere		
PAST		
esser(e) rimasto/a/i/e		

PRESENT	IMPERFECT	FUTURE
1. ringrazio	ringraziavo	ringrazierò
2. ringrazi	ringraziavi	ringrazierai
3. ringrazia	ringraziava	ringrazierà
1. ringraziamo	ringraziavamo	ringrazieremo
2. ringraziate	ringraziavate	ringrazierete
3. ringraziano	ringraziavano	ringrazieranno
PASSATO REMOTO	***PASSATO PROSSIMO***	**PLUPERFECT**
1. ringraziai	ho ringraziato	avevo ringraziato
2. ringraziasti	hai ringraziato	avevi ringraziato
3. ringraziò	ha ringraziato	aveva ringraziato
1. ringraziammo	abbiamo ringraziato	avevamo ringraziato
2. ringraziaste	avete ringraziato	avevate ringraziato
3. ringraziarono	hanno ringraziato	avevano ringraziato
PAST ANTERIOR		**FUTURE PERFECT**
ebbi ringraziato *etc*		avrò ringraziato *etc*

CONDITIONAL		*IMPERATIVE*
PRESENT	**PAST**	
1. ringrazierei	avrei ringraziato	
2. ringrazieresti	avresti ringraziato	ringrazia
3. ringrazierebbe	avrebbe ringraziato	ringrazi
1. ringrazieremmo	avremmo ringraziato	ringraziamo
2. ringraziereste	avreste ringraziato	ringraziate
3. ringrazierebbero	avrebbero ringraziato	ringrazino

SUBJUNCTIVE

PRESENT	IMPERFECT	PLUPERFECT
1. ringrazi	ringraziassi	avessi ringraziato
2. ringrazi	ringraziassi	avessi ringraziato
3. ringrazi	ringraziasse	avesse ringraziato
1. ringraziamo	ringraziassimo	avessimo ringraziato
2. ringraziate	ringraziaste	aveste ringraziato
3. ringrazino	ringraziassero	avessero ringraziato
PASSATO PROSSIMO	abbia ringraziato *etc*	

INFINITIVE	*GERUND*	*PAST PARTICIPLE*
PRESENT	ringraziando	ringraziato
ringraziare		
PAST		
aver(e) ringraziato		

RISOLVERE
165 *to solve*

PRESENT	IMPERFECT	FUTURE
1. risolvo	risolvevo	risolverò
2. risolvi	risolvevi	risolverai
3. risolve	risolveva	risolverà
1. risolviamo	risolvevamo	risolveremo
2. risolvete	risolvevate	risolverete
3. risolvono	risolvevano	risolveranno

PASSATO REMOTO	*PASSATO PROSSIMO*	PLUPERFECT
1. risolsi/risolvei[1]	ho risolto	avevo risolto
2. risolvesti	hai risolto	avevi risolto
3. risolse/risolvé[2]	ha risolto	aveva risolto
1. risolvemmo	abbiamo risolto	avevamo risolto
2. risolveste	avete risolto	avevate risolto
3. risolsero[3]	hanno risolto	avevano risolto

PAST ANTERIOR
ebbi risolto *etc*

FUTURE PERFECT
avrò risolto *etc*

CONDITIONAL		*IMPERATIVE*
PRESENT	**PAST**	
1. risolverei	avrei risolto	
2. risolveresti	avresti risolto	risolvi
3. risolverebbe	avrebbe risolto	risolva
1. risolveremmo	avremmo risolto	risolviamo
2. risolvereste	avreste risolto	risolvete
3. risolverebbero	avrebbero risolto	risolvano

SUBJUNCTIVE

PRESENT	IMPERFECT	PLUPERFECT
1. risolva	risolvessi	avessi risolto
2. risolva	risolvessi	avessi risolto
3. risolva	risolvesse	avesse risolto
1. risolviamo	risolvessimo	avessimo risolto
2. risolviate	risolveste	aveste risolto
3. risolvano	risolvessero	avessero risolto

PASSATO PROSSIMO abbia risolto *etc*

INFINITIVE	*GERUND*	*PAST PARTICIPLE*
PRESENT	risolvendo	risolto
risolvere		
PAST		
aver(e) risolto		

Note that the following variants are also possible: [1]risolvetti; [2]also risolvette; [3]risolverono or risolvettero.

PRESENT	IMPERFECT	FUTURE
1. rispondo	rispondevo	risponderò
2. rispondi	rispondevi	risponderai
3. risponde	rispondeva	risponderà
1. rispondiamo	rispondevamo	risponderemo
2. rispondete	rispondevate	risponderete
3. rispondono	rispondevano	risponderanno
PASSATO REMOTO	***PASSATO PROSSIMO***	**PLUPERFECT**
1. risposi	ho risposto	avevo risposto
2. rispondesti	hai risposto	avevi risposto
3. rispose	ha risposto	aveva risposto
1. rispondemmo	abbiamo risposto	avevamo risposto
2. rispondeste	avete risposto	avevate risposto
3. risposero	hanno risposto	avevano risposto
PAST ANTERIOR		**FUTURE PERFECT**
ebbi risposto *etc*		avrò risposto *etc*

CONDITIONAL / *IMPERATIVE*

PRESENT	PAST	IMPERATIVE
1. risponderei	avrei risposto	
2. risponderesti	avresti risposto	rispondi
3. risponderebbe	avrebbe risposto	risponda
1. risponderemmo	avremmo risposto	rispondiamo
2. rispondereste	avreste risposto	rispondete
3. risponderebbero	avrebbero risposto	rispondano

SUBJUNCTIVE

PRESENT	IMPERFECT	PLUPERFECT
1. risponda	rispondessi	avessi risposto
2. risponda	rispondessi	avessi risposto
3. risponda	rispondesse	avesse risposto
1. rispondiamo	rispondessimo	avessimo risposto
2. rispondiate	rispondeste	aveste risposto
3. rispondano	rispondessero	avessero risposto

PASSATO PROSSIMO abbia risposto *etc*

INFINITIVE / *GERUND* / *PAST PARTICIPLE*

INFINITIVE	GERUND	PAST PARTICIPLE
PRESENT	rispondendo	risposto
rispondere		
PAST		
aver(e) risposto		

RODERE
167 *to gnaw*

PRESENT	IMPERFECT	FUTURE
1. rodo	rodevo	roderò
2. rodi	rodevi	roderai
3. rode	rodeva	roderà
1. rodiamo	rodevamo	roderemo
2. rodete	rodevate	roderete
3. rodono	rodevano	roderanno
PASSATO REMOTO	***PASSATO PROSSIMO***	**PLUPERFECT**
1. rosi	ho roso	avevo roso
2. rodesti	hai roso	avevi roso
3. rose	ha roso	aveva roso
1. rodemmo	abbiamo roso	avevamo roso
2. rodeste	avete roso	avevate roso
3. rosero	hanno roso	avevano roso
PAST ANTERIOR		**FUTURE PERFECT**
ebbi roso *etc*		avrò roso *etc*

CONDITIONAL / *IMPERATIVE*

PRESENT	PAST	IMPERATIVE
1. roderei	avrei roso	
2. roderesti	avresti roso	rodi
3. roderebbe	avrebbe roso	roda
1. roderemmo	avremmo roso	rodiamo
2. rodereste	avreste roso	rodete
3. roderebbero	avrebbero roso	rodano

SUBJUNCTIVE

PRESENT	IMPERFECT	PLUPERFECT
1. roda	rodessi	avessi roso
2. roda	rodessi	avessi roso
3. roda	rodesse	avesse roso
1. rodiamo	rodessimo	avessimo roso
2. rodiate	rodeste	aveste roso
3. rodano	rodessero	avessero roso

PASSATO PROSSIMO abbia roso *etc*

INFINITIVE / *GERUND* / *PAST PARTICIPLE*

INFINITIVE	GERUND	PAST PARTICIPLE
PRESENT	rodendo	roso
rodere		
PAST		
aver(e) roso		

PRESENT	IMPERFECT	FUTURE
1. rompo	rompevo	romperò
2. rompi	rompevi	romperai
3. rompe	rompeva	romperà
1. rompiamo	rompevamo	romperemo
2. rompete	rompevate	romperete
3. rompono	rompevano	romperanno

PASSATO REMOTO	*PASSATO PROSSIMO*	PLUPERFECT
1. ruppi	ho rotto	avevo rotto
2. rompesti	hai rotto	avevi rotto
3. ruppe	ha rotto	aveva rotto
1. rompemmo	abbiamo rotto	avevamo rotto
2. rompeste	avete rotto	avevate rotto
3. ruppero	hanno rotto	avevano rotto

PAST ANTERIOR
ebbi rotto *etc*

FUTURE PERFECT
avrò rotto *etc*

CONDITIONAL

PRESENT	PAST
1. romperei	avrei rotto
2. romperesti	avresti rotto
3. romperebbe	avrebbe rotto
1. romperemmo	avremmo rotto
2. rompereste	avreste rotto
3. romperebbero	avrebbero rotto

IMPERATIVE

rompi
rompa
rompiamo
rompete
rompano

SUBJUNCTIVE

PRESENT	IMPERFECT	PLUPERFECT
1. rompa	rompessi	avessi rotto
2. rompa	rompessi	avessi rotto
3. rompa	rompesse	avesse rotto
1. rompiamo	rompessimo	avessimo rotto
2. rompiate	rompeste	aveste rotto
3. rompano	rompessero	avessero rotto

PASSATO PROSSIMO abbia rotto *etc*

INFINITIVE

PRESENT
rompere

PAST
aver(e) rotto

GERUND

rompendo

PAST PARTICIPLE

rotto

SALIRE
169 *to go up*

PRESENT	IMPERFECT	FUTURE
1. salgo	salivo	salirò
2. sali	salivi	salirai
3. sale	saliva	salirà
1. saliamo	salivamo	saliremo
2. salite	salivate	salirete
3. salgono	salivano	saliranno

PASSATO REMOTO	*PASSATO PROSSIMO*	PLUPERFECT
1. salii	sono salito/a	ero salito/a
2. salisti	sei salito/a	eri salito/a
3. salì	è salito/a	era salito/a
1. salimmo	siamo saliti/e	eravamo saliti/e
2. saliste	siete saliti/e	eravate saliti/e
3. salirono	sono saliti/e	erano saliti/e

PAST ANTERIOR
fui salito/a *etc*

FUTURE PERFECT
sarò salito/a *etc*

CONDITIONAL / *IMPERATIVE*

PRESENT	PAST	IMPERATIVE
1. salirei	sarei salito/a	
2. saliresti	saresti salito/a	sali
3. salirebbe	sarebbe salito/a	salga
1. saliremmo	saremmo saliti/e	saliamo
2. salireste	sareste saliti/e	salite
3. salirebbero	sarebbero saliti/e	salgano

SUBJUNCTIVE

PRESENT	IMPERFECT	PLUPERFECT
1. salga	salissi	fossi salito/a
2. salga	salissi	fossi salito/a
3. salga	salisse	fosse salito/a
1. saliamo	salissimo	fossimo saliti/e
2. saliate	saliste	foste saliti/e
3. salgano	salissero	fossero saliti/e

PASSATO PROSSIMO sia salito/a *etc*

INFINITIVE	*GERUND*	*PAST PARTICIPLE*
PRESENT salire	salendo	salito/a/i/e
PAST esser(e) salito/a/i/e		

Note that **salire** uses the auxiliary **avere** with a direct object, eg: **I climbed the stairs ho salito le scale.**

PRESENT	**IMPERFECT**	**FUTURE**
1. so	sapevo	saprò
2. sai	sapevi	saprai
3. sa	sapeva	saprà
1. sappiamo	sapevamo	sapremo
2. sapete	sapevate	saprete
3. sanno	sapevano	sapranno
PASSATO REMOTO	***PASSATO PROSSIMO***	**PLUPERFECT**
1. seppi	ho saputo	avevo saputo
2. sapesti	hai saputo	avevi saputo
3. seppe	ha saputo	aveva saputo
1. sapemmo	abbiamo saputo	avevamo saputo
2. sapeste	avete saputo	avevate saputo
3. seppero	hanno saputo	avevano saputo
PAST ANTERIOR		**FUTURE PERFECT**
ebbi saputo *etc*		avrò saputo *etc*

CONDITIONAL / *IMPERATIVE*

PRESENT	**PAST**	
1. saprei	avrei saputo	
2. sapresti	avresti saputo	sappi
3. saprebbe	avrebbe saputo	sappia
1. sapremmo	avremmo saputo	sappiamo
2. sapreste	avreste saputo	sappiate
3. saprebbero	avrebbero saputo	sappiano

SUBJUNCTIVE

PRESENT	**IMPERFECT**	**PLUPERFECT**
1. sappia	sapessi	avessi saputo
2. sappia	sapessi	avessi saputo
3. sappia	sapesse	avesse saputo
1. sappiamo	sapessimo	avessimo saputo
2. sappiate	sapeste	aveste saputo
3. sappiano	sapessero	avessero saputo

PASSATO PROSSIMO abbia saputo *etc*

INFINITIVE / *GERUND* / *PAST PARTICIPLE*

INFINITIVE	*GERUND*	*PAST PARTICIPLE*
PRESENT	sapendo	saputo
sapere		
PAST		
aver(e) saputo		

SCEGLIERE
171 *to choose*

PRESENT	IMPERFECT	FUTURE
1. scelgo	sceglievo	sceglierò
2. scegli	sceglievi	sceglierai
3. sceglie	sceglieva	sceglierà
1. scegliamo	sceglievamo	sceglieremo
2. scegliete	sceglievate	sceglierete
3. scelgono	sceglievano	sceglieranno

PASSATO REMOTO	*PASSATO PROSSIMO*	PLUPERFECT
1. scelsi	ho scelto	avevo scelto
2. scegliesti	hai scelto	avevi scelto
3. scelse	ha scelto	aveva scelto
1. scegliemmo	abbiamo scelto	avevamo scelto
2. sceglieste	avete scelto	avevate scelto
3. scelsero	hanno scelto	avevano scelto

PAST ANTERIOR
ebbi scelto *etc*

FUTURE PERFECT
avrò scelto *etc*

CONDITIONAL

PRESENT	PAST
1. sceglierei	avrei scelto
2. sceglieresti	avresti scelto
3. sceglierebbe	avrebbe scelto
1. sceglieremmo	avremmo scelto
2. scegliereste	avreste scelto
3. sceglierebbero	avrebbero scelto

IMPERATIVE

scegli
scelga
scegliamo
scegliete
scelgano

SUBJUNCTIVE

PRESENT	IMPERFECT	PLUPERFECT
1. scelga	scegliessi	avessi scelto
2. scelga	scegliessi	avessi scelto
3. scelga	scegliesse	avesse scelto
1. scegliamo	scegliessimo	avessimo scelto
2. scegliate	sceglieste	aveste scelto
3. scelgano	scegliessero	avessero scelto

PASSATO PROSSIMO abbia scelto *etc*

INFINITIVE

PRESENT
scegliere

PAST
aver(e) scelto

GERUND

scegliendo

PAST PARTICIPLE

scelto

PRESENT	**IMPERFECT**	**FUTURE**
1. scendo	scendevo	scenderò
2. scendi	scendevi	scenderai
3. scende	scendeva	scenderà
1. scendiamo	scendevamo	scenderemo
2. scendete	scendevate	scenderete
3. scendono	scendevano	scenderanno

PASSATO REMOTO	***PASSATO PROSSIMO***	**PLUPERFECT**
1. scesi	sono sceso/a	ero sceso/a
2. scendesti	sei sceso/a	eri sceso/a
3. scese	è sceso/a	era sceso/a
1. scendemmo	siamo scesi/e	eravamo scesi/e
2. scendeste	siete scesi/e	eravate scesi/e
3. scesero	sono scesi/e	erano scesi/e

PAST ANTERIOR
fui sceso/a *etc*

FUTURE PERFECT
sarò sceso/a *etc*

CONDITIONAL

PRESENT	**PAST**
1. scenderei	sarei sceso/a
2. scenderesti	saresti sceso/a
3. scenderebbe	sarebbe sceso/a
1. scenderemmo	saremmo scesi/e
2. scendereste	sareste scesi/e
3. scenderebbero	sarebbero scesi/e

IMPERATIVE

scendi
scenda
scendiamo
scendete
scendano

SUBJUNCTIVE

PRESENT	**IMPERFECT**	**PLUPERFECT**
1. scenda	scendessi	fossi sceso/a
2. scenda	scendessi	fossi sceso/a
3. scenda	scendesse	fosse sceso/a
1. scendiamo	scendessimo	fossimo scesi/e
2. scendiate	scendeste	foste scesi/e
3. scendano	scendessero	fossero scesi/e

PASSATO PROSSIMO sia sceso/a *etc*

INFINITIVE

PRESENT
scendere

PAST
esser(e) sceso/a/i/e

GERUND

scendendo

PAST PARTICIPLE

sceso/a/i/e

Note that in compound tenses, when **scendere** has a direct object it takes the auxiliary **avere**, eg: **I came down the stairs ho sceso le scale.**

SCINDERE

173 *to split (up)*

PRESENT	IMPERFECT	FUTURE
1. scindo	scindevo	scinderò
2. scindi	scindevi	scinderai
3. scinde	scindeva	scinderà
1. scindiamo	scindevamo	scinderemo
2. scindete	scindevate	scinderete
3. scindono	scindevano	scinderanno

PASSATO REMOTO	*PASSATO PROSSIMO*	PLUPERFECT
1. scissi	ho scisso	avevo scisso
2. scindesti	hai scisso	avevi scisso
3. scisse	ha scisso	aveva scisso
1. scindemmo	abbiamo scisso	avevamo scisso
2. scindeste	avete scisso	avevate scisso
3. scissero	hanno scisso	avevano scisso

PAST ANTERIOR		FUTURE PERFECT
ebbi scisso *etc*		avrò scisso *etc*

CONDITIONAL / *IMPERATIVE*

PRESENT	PAST	IMPERATIVE
1. scinderei	avrei scisso	
2. scinderesti	avresti scisso	scindi
3. scinderebbe	avrebbe scisso	scinda
1. scinderemmo	avremmo scisso	scindiamo
2. scindereste	avreste scisso	scindete
3. scinderebbero	avrebbero scisso	scindano

SUBJUNCTIVE

PRESENT	IMPERFECT	PLUPERFECT
1. scinda	scindessi	avessi scisso
2. scinda	scindessi	avessi scisso
3. scinda	scindesse	avesse scisso
1. scindiamo	scindessimo	avessimo scisso
2. scindiate	scindeste	aveste scisso
3. scindano	scindessero	avessero scisso

PASSATO PROSSIMO abbia scisso *etc*

INFINITIVE	*GERUND*	*PAST PARTICIPLE*
PRESENT	scindendo	scisso
scindere		
PAST		
aver(e) scisso		

PRESENT	IMPERFECT	FUTURE
1. scrivo	scrivevo	scriverò
2. scrivi	scrivevi	scriverai
3. scrive	scriveva	scriverà
1. scriviamo	scrivevamo	scriveremo
2. scrivete	scrivevate	scriverete
3. scrivono	scrivevano	scriveranno
PASSATO REMOTO	***PASSATO PROSSIMO***	**PLUPERFECT**
1. scrissi	ho scritto	avevo scritto
2. scrivesti	hai scritto	avevi scritto
3. scrisse	ha scritto	aveva scritto
1. scrivemmo	abbiamo scritto	avevamo scritto
2. scriveste	avete scritto	avevate scritto
3. scrissero	hanno scritto	avevano scritto
PAST ANTERIOR		**FUTURE PERFECT**
ebbi scritto *etc*		avrò scritto *etc*

CONDITIONAL / *IMPERATIVE*

PRESENT	PAST	
1. scriverei	avrei scritto	
2. scriveresti	avresti scritto	scrivi
3. scriverebbe	avrebbe scritto	scriva
1. scriveremmo	avremmo scritto	scriviamo
2. scrivereste	avreste scritto	scrivete
3. scriverebbero	avrebbero scritto	scrivano

SUBJUNCTIVE

PRESENT	IMPERFECT	PLUPERFECT
1. scriva	scrivessi	avessi scritto
2. scriva	scrivessi	avessi scritto
3. scriva	scrivesse	avesse scritto
1. scriviamo	scrivessimo	avessimo scritto
2. scriviate	scriveste	aveste scritto
3. scrivano	scrivessero	avessero scritto

PASSATO PROSSIMO abbia scritto *etc*

INFINITIVE / *GERUND* / *PAST PARTICIPLE*

INFINITIVE	GERUND	PAST PARTICIPLE
PRESENT	scrivendo	scritto
scrivere		
PAST		
aver(e) scritto		

SCUOTERE
175 *to shake*

PRESENT	IMPERFECT	FUTURE
1. scuoto	scuotevo	scuoterò
2. scuoti	scuotevi	scuoterai
3. scuote	scuoteva	scuoterà
1. scuotiamo	scuotevamo	scuoteremo
2. scuotete	scuotevate	scuoterete
3. scuotono	scuotevano	scuoteranno
PASSATO REMOTO	***PASSATO PROSSIMO***	**PLUPERFECT**
1. scossi	ho scosso	avevo scosso
2. scuotesti	hai scosso	avevi scosso
3. scosse	ha scosso	aveva scosso
1. scuotemmo	abbiamo scosso	avevamo scosso
2. scuoteste	avete scosso	avevate scosso
3. scossero	hanno scosso	avevano scosso
PAST ANTERIOR		**FUTURE PERFECT**
ebbi scosso *etc*		avrò scosso *etc*

CONDITIONAL / *IMPERATIVE*

PRESENT	PAST	IMPERATIVE
1. scuoterei	avrei scosso	
2. scuoteresti	avresti scosso	scuoti
3. scuoterebbe	avrebbe scosso	scuota
1. scuoteremmo	avremmo scosso	scuotiamo
2. scuotereste	avreste scosso	scuotete
3. scuoterebbero	avrebbero scosso	scuotano

SUBJUNCTIVE

PRESENT	IMPERFECT	PLUPERFECT
1. scuota	scuotessi	avessi scosso
2. scuota	scuotessi	avessi scosso
3. scuota	scuotesse	avesse scosso
1. scuotiamo	scuotessimo	avessimo scosso
2. scuotiate	scuoteste	aveste scosso
3. scuotano	scuotessero	avessero scosso

PASSATO PROSSIMO abbia scosso *etc*

INFINITIVE	*GERUND*	*PAST PARTICIPLE*
PRESENT	scuotendo	scosso
scuotere		
PAST		
aver(e) scosso		

PRESENT	IMPERFECT	FUTURE
1. siedo/seggo	sedevo	sederò
2. siedi	sedevi	sederai
3. siede	sedeva	sederà
1. sediamo	sedevamo	sederemo
2. sedete	sedevate	sederete
3. siedono/seggono	sedevano	sederanno

PASSATO REMOTO	*PASSATO PROSSIMO*	PLUPERFECT
1. sedei/sedetti	sono seduto/a	ero seduto/a
2. sedesti	sei seduto/a	eri seduto/a
3. sedé/sedette	è seduto/a	era seduto/a
1. sedemmo	siamo seduti/e	eravamo seduti/e
2. sedeste	siete seduti/e	eravate seduti/e
3. sederono/sedettero	sono seduti/e	erano seduti/e

PAST ANTERIOR
fui seduto/a *etc*

FUTURE PERFECT
sarò seduto/a *etc*

CONDITIONAL

PRESENT	PAST
1. sederei	sarei seduto/a
2. sederesti	saresti seduto/a
3. sederebbe	sarebbe seduto/a
1. sederemmo	saremmo seduti/e
2. sedereste	sareste seduti/e
3. sederebbero	sarebbero seduti/e

IMPERATIVE

siedi
sieda/segga
sediamo
sedete
siedano/seggano

SUBJUNCTIVE

PRESENT	IMPERFECT	PLUPERFECT
1. sieda/segga	sedessi	fossi seduto/a
2. sieda/segga	sedessi	fossi seduto/a
3. sieda/segga	sedesse	fosse seduto/a
1. sediamo	sedessimo	fossimo seduti/e
2. sediate	sedeste	foste seduti/e
3. siedano/seggano	sedessero	fossero seduti/e

PASSATO PROSSIMO sia seduto/a *etc*

INFINITIVE

PRESENT
sedere

PAST
esser(e) seduto/a/i/e

GERUND

sedendo

PAST PARTICIPLE

seduto/a/i/e

Note that this verb is also commonly found in its reflexive form sedersi.

SEGUIRE
177 *to follow*

PRESENT	**IMPERFECT**	**FUTURE**
1. seguo	seguivo	seguirò
2. segui	seguivi	seguirai
3. segue	seguiva	seguirà
1. seguiamo	seguivamo	seguiremo
2. seguite	seguivate	seguirete
3. seguono	seguivano	seguiranno
PASSATO REMOTO	***PASSATO PROSSIMO***	**PLUPERFECT**
1. seguii	ho seguito	avevo seguito
2. seguisti	hai seguito	avevi seguito
3. seguì	ha seguito	aveva seguito
1. seguimmo	abbiamo seguito	avevamo seguito
2. seguiste	avete seguito	avevate seguito
3. seguirono	hanno seguito	avevano seguito
PAST ANTERIOR		**FUTURE PERFECT**
ebbi seguito *etc*		avrò seguito *etc*

CONDITIONAL / *IMPERATIVE*

PRESENT	**PAST**	
1. seguirei	avrei seguito	
2. seguiresti	avresti seguito	segui
3. seguirebbe	avrebbe seguito	segua
1. seguiremmo	avremmo seguito	seguiamo
2. seguireste	avreste seguito	seguite
3. seguirebbero	avrebbero seguito	seguano

SUBJUNCTIVE

PRESENT	**IMPERFECT**	**PLUPERFECT**
1. segua	seguissi	avessi seguito
2. segua	seguissi	avessi seguito
3. segua	seguisse	avesse seguito
1. seguiamo	seguissimo	avessimo seguito
2. seguiate	seguiste	aveste seguito
3. seguano	seguissero	avessero seguito

PASSATO PROSSIMO abbia seguito *etc*

INFINITIVE / *GERUND* / *PAST PARTICIPLE*

PRESENT	seguendo	seguito
seguire		
PAST		
aver(e) seguito		

PRESENT	IMPERFECT	FUTURE
1. sento	sentivo	sentirò
2. senti	sentivi	sentirai
3. sente	sentiva	sentirà
1. sentiamo	sentivamo	sentiremo
2. sentite	sentivate	sentirete
3. sentono	sentivano	sentiranno

PASSATO REMOTO	*PASSATO PROSSIMO*	PLUPERFECT
1. sentii	ho sentito	avevo sentito
2. sentisti	hai sentito	avevi sentito
3. sentì	ha sentito	aveva sentito
1. sentimmo	abbiamo sentito	avevamo sentito
2. sentiste	avete sentito	avevate sentito
3. sentirono	hanno sentito	avevano sentito

PAST ANTERIOR
ebbi sentito *etc*

FUTURE PERFECT
avrò sentito *etc*

CONDITIONAL

PRESENT	PAST
1. sentirei	avrei sentito
2. sentiresti	avresti sentito
3. sentirebbe	avrebbe sentito
1. sentiremmo	avremmo sentito
2. sentireste	avreste sentito
3. sentirebbero	avrebbero sentito

IMPERATIVE

senti
senta
sentiamo
sentite
sentano

SUBJUNCTIVE

PRESENT	IMPERFECT	PLUPERFECT
1. senta	sentissi	avessi sentito
2. senta	sentissi	avessi sentito
3. senta	sentisse	avesse sentito
1. sentiamo	sentissimo	avessimo sentito
2. sentiate	sentiste	aveste sentito
3. sentano	sentissero	avessero sentito

PASSATO PROSSIMO abbia sentito *etc*

INFINITIVE

PRESENT
sentire

PAST
aver(e) sentito

GERUND

sentendo

PAST PARTICIPLE

sentito

SERVIRE
179 *to serve*

PRESENT	IMPERFECT	FUTURE
1. servo	servivo	servirò
2. servi	servivi	servirai
3. serve	serviva	servirà
1. serviamo	servivamo	serviremo
2. servite	servivate	servirete
3. servono	servivano	serviranno
PASSATO REMOTO	***PASSATO PROSSIMO***	**PLUPERFECT**
1. servii	ho servito	avevo servito
2. servisti	hai servito	avevi servito
3. servì	ha servito	aveva servito
1. servimmo	abbiamo servito	avevamo servito
2. serviste	avete servito	avevate servito
3. servirono	hanno servito	avevano servito
PAST ANTERIOR		**FUTURE PERFECT**
ebbi servito *etc*		avrò servito *etc*

CONDITIONAL		*IMPERATIVE*
PRESENT	**PAST**	
1. servirei	avrei servito	
2. serviresti	avresti servito	servi
3. servirebbe	avrebbe servito	serva
1. serviremmo	avremmo servito	serviamo
2. servireste	avreste servito	servite
3. servirebbero	avrebbero servito	servano

SUBJUNCTIVE		
PRESENT	**IMPERFECT**	**PLUPERFECT**
1. serva	servissi	avessi servito
2. serva	servissi	avessi servito
3. serva	servisse	avesse servito
1. serviamo	servissimo	avessimo servito
2. serviate	serviste	aveste servito
3. servano	servissero	avessero servito
PASSATO PROSSIMO	abbia servito *etc*	

INFINITIVE	*GERUND*	*PAST PARTICIPLE*
PRESENT	servendo	servito
servire		
PAST		
aver(e) servito		

PRESENT	IMPERFECT	FUTURE
1. soffro	soffrivo	soffrirò
2. soffri	soffrivi	soffrirai
3. soffre	soffriva	soffrirà
1. soffriamo	soffrivamo	soffriremo
2. soffrite	soffrivate	soffrirete
3. soffrono	soffrivano	soffriranno
PASSATO REMOTO	***PASSATO PROSSIMO***	**PLUPERFECT**
1. soffrii/soffersi	ho sofferto	avevo sofferto
2. soffristi	hai sofferto	avevi sofferto
3. soffrì/sofferse	ha sofferto	aveva sofferto
1. soffrimmo	abbiamo sofferto	avevamo sofferto
2. soffriste	avete sofferto	avevate sofferto
3. soffrirono/soffersero	hanno sofferto	avevano sofferto
PAST ANTERIOR		**FUTURE PERFECT**
ebbi sofferto *etc*		avrò sofferto *etc*

CONDITIONAL / *IMPERATIVE*

PRESENT	PAST	IMPERATIVE
1. soffrirei	avrei sofferto	
2. soffriresti	avresti sofferto	soffri
3. soffrirebbe	avrebbe sofferto	soffra
1. soffriremmo	avremmo sofferto	soffriamo
2. soffrireste	avreste sofferto	soffrite
3. soffrirebbero	avrebbero sofferto	soffrano

SUBJUNCTIVE

PRESENT	IMPERFECT	PLUPERFECT
1. soffra	soffrissi	avessi sofferto
2. soffra	soffrissi	avessi sofferto
3. soffra	soffrisse	avesse sofferto
1. soffriamo	soffrissimo	avessimo sofferto
2. soffriate	soffriste	aveste sofferto
3. soffrano	soffrissero	avessero sofferto

PASSATO PROSSIMO abbia sofferto *etc*

INFINITIVE / *GERUND* / *PAST PARTICIPLE*

INFINITIVE	GERUND	PAST PARTICIPLE
PRESENT	soffrendo	sofferto
soffrire		
PAST		
aver(e) sofferto		

SPANDERE
181 *to spread*

PRESENT	**IMPERFECT**	**FUTURE**
1. spando	spandevo	spanderò
2. spandi	spandevi	spanderai
3. spande	spandeva	spanderà
1. spandiamo	spandevamo	spanderemo
2. spandete	spandevate	spanderete
3. spandono	spandevano	spanderanno
PASSATO REMOTO	***PASSATO PROSSIMO***	**PLUPERFECT**
1. spandei	ho spanto	avevo spanto
2. spandesti	hai spanto	avevi spanto
3. spandé	ha spanto	aveva spanto
1. spandemmo	abbiamo spanto	avevamo spanto
2. spandeste	avete spanto	avevate spanto
3. spanderono	hanno spanto	avevano spanto
PAST ANTERIOR		**FUTURE PERFECT**
ebbi spanto *etc*		avrò spanto *etc*

CONDITIONAL / *IMPERATIVE*

PRESENT	**PAST**	
1. spanderei	avrei spanto	
2. spanderesti	avresti spanto	spandi
3. spanderebbe	avrebbe spanto	spanda
1. spanderemmo	avremmo spanto	spandiamo
2. spandereste	avreste spanto	spandete
3. spanderebbero	avrebbero spanto	spandano

SUBJUNCTIVE

PRESENT	**IMPERFECT**	**PLUPERFECT**
1. spanda	spandessi	avessi spanto
2. spanda	spandessi	avessi spanto
3. spanda	spandesse	avesse spanto
1. spandiamo	spandessimo	avessimo spanto
2. spandiate	spandeste	aveste spanto
3. spandano	spandessero	avessero spanto

PASSATO PROSSIMO abbia spanto *etc*

INFINITIVE	*GERUND*	*PAST PARTICIPLE*
PRESENT	spandendo	spanto
spandere		
PAST		
aver(e) spanto		

PRESENT	IMPERFECT	FUTURE
1. spargo	spargevo	spargerò
2. spargi	spargevi	spargerai
3. sparge	spargeva	spargerà
1. spargiamo	spargevamo	spargeremo
2. spargete	spargevate	spargerete
3. spargono	spargevano	spargeranno
PASSATO REMOTO	***PASSATO PROSSIMO***	**PLUPERFECT**
1. sparsi	ho sparso	avevo sparso
2. spargesti	hai sparso	avevi sparso
3. sparse	ha sparso	aveva sparso
1. spargemmo	abbiamo sparso	avevamo sparso
2. spargeste	avete sparso	avevate sparso
3. sparsero	hanno sparso	avevano sparso
PAST ANTERIOR		**FUTURE PERFECT**
ebbi sparso *etc*		avrò sparso *etc*

CONDITIONAL / *IMPERATIVE*

PRESENT	PAST	
1. spargerei	avrei sparso	
2. spargeresti	avresti sparso	spargi
3. spargerebbe	avrebbe sparso	sparga
1. spargeremmo	avremmo sparso	spargiamo
2. spargereste	avreste sparso	spargete
3. spargerebbero	avrebbero sparso	spargano

SUBJUNCTIVE

PRESENT	IMPERFECT	PLUPERFECT
1. sparga	spargessi	avessi sparso
2. sparga	spargessi	avessi sparso
3. sparga	spargesse	avesse sparso
1. spargiamo	spargessimo	avessimo sparso
2. spargiate	spargeste	aveste sparso
3. spargano	spargessero	avessero sparso

PASSATO PROSSIMO abbia sparso *etc*

INFINITIVE / *GERUND* / *PAST PARTICIPLE*

INFINITIVE	GERUND	PAST PARTICIPLE
PRESENT	spargendo	sparso
spargere		
PAST		
aver(e) sparso		

SPEGNERE
183 *to put out*

PRESENT	**IMPERFECT**	**FUTURE**
1. spengo	spegnevo	spegnerò
2. spegni	spegnevi	spegnerai
3. spegne	spegneva	spegnerà
1. spegniamo	spegnevamo	spegneremo
2. spegnete	spegnevate	spegnerete
3. spengono	spegnevano	spegneranno
PASSATO REMOTO	***PASSATO PROSSIMO***	**PLUPERFECT**
1. spensi	ho spento	avevo spento
2. spegnesti	hai spento	avevi spento
3. spense	ha spento	aveva spento
1. spegnemmo	abbiamo spento	avevamo spento
2. spegneste	avete spento	avevate spento
3. spensero	hanno spento	avevano spento
PAST ANTERIOR		**FUTURE PERFECT**
ebbi spento *etc*		avrò spento *etc*

CONDITIONAL		*IMPERATIVE*
PRESENT	**PAST**	
1. spegnerei	avrei spento	
2. spegneresti	avresti spento	spegni
3. spegnerebbe	avrebbe spento	spenga
1. spegneremmo	avremmo spento	spegniamo
2. spegnereste	avreste spento	spegnete
3. spegnerebbero	avrebbero spento	spengano

SUBJUNCTIVE		
PRESENT	**IMPERFECT**	**PLUPERFECT**
1. spenga	spegnessi	avessi spento
2. spenga	spegnessi	avessi spento
3. spenga	spegnesse	avesse spento
1. spegniamo	spegnessimo	avessimo spento
2. spegniate	spegneste	aveste spento
3. spengano	spegnessero	avessero spento
PASSATO PROSSIMO	abbia spento *etc*	

INFINITIVE	*GERUND*	*PAST PARTICIPLE*
PRESENT	spegnendo	spento
spegnere		
PAST		
aver(e) spento		

PRESENT	IMPERFECT	FUTURE
1. spendo	spendevo	spenderò
2. spendi	spendevi	spenderai
3. spende	spendeva	spenderà
1. spendiamo	spendevamo	spenderemo
2. spendete	spendevate	spenderete
3. spendono	spendevano	spenderanno

PASSATO REMOTO	*PASSATO PROSSIMO*	PLUPERFECT
1. spesi	ho speso	avevo speso
2. spendesti	hai speso	avevi speso
3. spese	ha speso	aveva speso
1. spendemmo	abbiamo speso	avevamo speso
2. spendeste	avete speso	avevate speso
3. spesero	hanno speso	avevano speso

PAST ANTERIOR
ebbi speso *etc*

FUTURE PERFECT
avrò speso *etc*

CONDITIONAL

PRESENT	PAST
1. spenderei	avrei speso
2. spenderesti	avresti speso
3. spenderebbe	avrebbe speso
1. spenderemmo	avremmo speso
2. spendereste	avreste speso
3. spenderebbero	avrebbero speso

IMPERATIVE

spendi
spenda
spendiamo
spendete
spendano

SUBJUNCTIVE

PRESENT	IMPERFECT	PLUPERFECT
1. spenda	spendessi	avessi speso
2. spenda	spendessi	avessi speso
3. spenda	spendesse	avesse speso
1. spendiamo	spendessimo	avessimo speso
2. spendiate	spendeste	aveste speso
3. spendano	spendessero	avessero speso

PASSATO PROSSIMO abbia speso *etc*

INFINITIVE

PRESENT
spendere

PAST
aver(e) speso

GERUND

spendendo

PAST PARTICIPLE

speso

SPINGERE
185 *to push*

PRESENT	IMPERFECT	FUTURE
1. spingo	spingevo	spingerò
2. spingi	spingevi	spingerai
3. spinge	spingeva	spingerà
1. spingiamo	spingevamo	spingeremo
2. spingete	spingevate	spingerete
3. spingono	spingevano	spingeranno

PASSATO REMOTO	*PASSATO PROSSIMO*	PLUPERFECT
1. spinsi	ho spinto	avevo spinto
2. spingesti	hai spinto	avevi spinto
3. spinse	ha spinto	aveva spinto
1. spingemmo	abbiamo spinto	avevamo spinto
2. spingeste	avete spinto	avevate spinto
3. spinsero	hanno spinto	avevano spinto

PAST ANTERIOR		FUTURE PERFECT
ebbi spinto *etc*		avrò spinto *etc*

CONDITIONAL / *IMPERATIVE*

PRESENT	PAST	IMPERATIVE
1. spingerei	avrei spinto	
2. spingeresti	avresti spinto	spingi
3. spingerebbe	avrebbe spinto	spinga
1. spingeremmo	avremmo spinto	spingiamo
2. spingereste	avreste spinto	spingete
3. spingerebbero	avrebbero spinto	spingano

SUBJUNCTIVE

PRESENT	IMPERFECT	PLUPERFECT
1. spinga	spingessi	avessi spinto
2. spinga	spingessi	avessi spinto
3. spinga	spingesse	avesse spinto
1. spingiamo	spingessimo	avessimo spinto
2. spingiate	spingeste	aveste spinto
3. spingano	spingessero	avessero spinto

PASSATO PROSSIMO abbia spinto *etc*

INFINITIVE	*GERUND*	*PAST PARTICIPLE*
PRESENT	spingendo	spinto
spingere		
PAST		
aver(e) spinto		

PRESENT	IMPERFECT	FUTURE
1. sto	stavo	starò
2. stai	stavi	starai
3. sta	stava	starà
1. stiamo	stavamo	staremo
2. state	stavate	starete
3. stanno	stavano	staranno
PASSATO REMOTO	***PASSATO PROSSIMO***	**PLUPERFECT**
1. stetti	sono stato/a	ero stato/a
2. stesti	sei stato/a	eri stato/a
3. stette	è stato/a	era stato/a
1. stemmo	siamo stati/e	eravamo stati/e
2. steste	siete stati/e	eravate stati/e
3. stettero	sono stati/e	erano stati/e
PAST ANTERIOR		**FUTURE PERFECT**
fui stato/a *etc*		sarò stato/a *etc*

CONDITIONAL / *IMPERATIVE*

PRESENT	PAST	
1. starei	sarei stato/a	
2. staresti	saresti stato/a	sta/stai/sta'
3. starebbe	sarebbe stato/a	stia
1. staremmo	saremmo stati/e	stiamo
2. stareste	sareste stati/e	state
3. starebbero	sarebbero stati/e	stiano

SUBJUNCTIVE

PRESENT	IMPERFECT	PLUPERFECT
1. stia	stessi	fossi stato/a
2. stia	stessi	fossi stato/a
3. stia	stesse	fosse stato/a
1. stiamo	stessimo	fossimo stati/e
2. stiate	steste	foste stati/e
3. stiano	stessero	fossero stati/e

PASSATO PROSSIMO sia stato/a *etc*

INFINITIVE	*GERUND*	*PAST PARTICIPLE*
PRESENT	stando	stato/a/i/e
stare		
PAST		
esser(e) stato/a/i/e		

STENDERE
187 *to stretch (out)*

PRESENT	IMPERFECT	FUTURE
1. stendo	stendevo	stenderò
2. stendi	stendevi	stenderai
3. stende	stendeva	stenderà
1. stendiamo	stendevamo	stenderemo
2. stendete	stendevate	stenderete
3. stendono	stendevano	stenderanno

PASSATO REMOTO	*PASSATO PROSSIMO*	PLUPERFECT
1. stesi	ho steso	avevo steso
2. stendesti	hai steso	avevi steso
3. stese	ha steso	aveva steso
1. stendemmo	abbiamo steso	avevamo steso
2. stendeste	avete steso	avevate steso
3. stesero	hanno steso	avevano steso

PAST ANTERIOR		FUTURE PERFECT
ebbi steso *etc*		avrò steso *etc*

CONDITIONAL / *IMPERATIVE*

PRESENT	PAST	
1. stenderei	avrei steso	
2. stenderesti	avresti steso	stendi
3. stenderebbe	avrebbe steso	stenda
1. stenderemmo	avremmo steso	stendiamo
2. stendereste	avreste steso	stendete
3. stenderebbero	avrebbero steso	stendano

SUBJUNCTIVE

PRESENT	IMPERFECT	PLUPERFECT
1. stenda	stendessi	avessi steso
2. stenda	stendessi	avessi steso
3. stenda	stendesse	avesse steso
1. stendiamo	stendessimo	avessimo steso
2. stendiate	stendeste	aveste steso
3. stendano	stendessero	avessero steso

PASSATO PROSSIMO abbia steso *etc*

INFINITIVE	*GERUND*	*PAST PARTICIPLE*
PRESENT	stendendo	steso
stendere		
PAST		
aver(e) steso		

PRESENT	IMPERFECT	FUTURE
1. stringo	stringevo	stringerò
2. stringi	stringevi	stringerai
3. stringe	stringeva	stringerà
1. stringiamo	stringevamo	stringeremo
2. stringete	stringevate	stringerete
3. stringono	stringevano	stringeranno

PASSATO REMOTO	***PASSATO PROSSIMO***	**PLUPERFECT**
1. strinsi	ho stretto	avevo stretto
2. stringesti	hai stretto	avevi stretto
3. strinse	ha stretto	aveva stretto
1. stringemmo	abbiamo stretto	avevamo stretto
2. stringeste	avete stretto	avevate stretto
3. strinsero	hanno stretto	avevano stretto

PAST ANTERIOR
ebbi stretto *etc*

FUTURE PERFECT
avrò stretto *etc*

CONDITIONAL / *IMPERATIVE*

PRESENT	PAST	IMPERATIVE
1. stringerei	avrei stretto	
2. stringeresti	avresti stretto	stringi
3. stringerebbe	avrebbe stretto	stringa
1. stringeremmo	avremmo stretto	stringiamo
2. stringereste	avreste stretto	stringete
3. stringerebbero	avrebbero stretto	stringano

SUBJUNCTIVE

PRESENT	IMPERFECT	PLUPERFECT
1. stringa	stringessi	avessi stretto
2. stringa	stringessi	avessi stretto
3. stringa	stringesse	avesse stretto
1. stringiamo	stringessimo	avessimo stretto
2. stringiate	stringeste	aveste stretto
3. stringano	stringessero	avessero stretto

PASSATO PROSSIMO abbia stretto *etc*

INFINITIVE / *GERUND* / *PAST PARTICIPLE*

PRESENT
stringere

PAST
aver(e) stretto

GERUND
stringendo

PAST PARTICIPLE
stretto

STUDIARE
189 to study

PRESENT	IMPERFECT	FUTURE
1. studio	studiavo	studierò
2. studi	studiavi	studierai
3. studia	studiava	studierà
1. studiamo	studiavamo	studieremo
2. studiate	studiavate	studierete
3. studiano	studiavano	studieranno
PASSATO REMOTO	***PASSATO PROSSIMO***	**PLUPERFECT**
1. studiai	ho studiato	avevo studiato
2. studiasti	hai studiato	avevi studiato
3. studiò	ha studiato	aveva studiato
1. studiammo	abbiamo studiato	avevamo studiato
2. studiaste	avete studiato	avevate studiato
3. studiarono	hanno studiato	avevano studiato
PAST ANTERIOR		**FUTURE PERFECT**
ebbi studiato *etc*		avrò studiato *etc*

CONDITIONAL / IMPERATIVE

PRESENT	PAST	IMPERATIVE
1. studierei	avrei studiato	
2. studieresti	avresti studiato	studia
3. studierebbe	avrebbe studiato	studi
1. studieremmo	avremmo studiato	studiamo
2. studiereste	avreste studiato	studiate
3. studierebbero	avrebbero studiato	studino

SUBJUNCTIVE

PRESENT	IMPERFECT	PLUPERFECT
1. studi	studiassi	avessi studiato
2. studi	studiassi	avessi studiato
3. studi	studiasse	avesse studiato
1. studiamo	studiassimo	avessimo studiato
2. studiate	studiaste	aveste studiato
3. studino	studiassero	avessero studiato

PASSATO PROSSIMO abbia studiato *etc*

INFINITIVE	GERUND	PAST PARTICIPLE
PRESENT	studiando	studiato
studiare		
PAST		
aver(e) studiato		

PRESENT	IMPERFECT	FUTURE
1. succedo	succedevo	succederò
2. succedi	succedevi	succederai
3. succede	succedeva	succederà
1. succediamo	succedevamo	succederemo
2. succedete	succedevate	succederete
3. succedono	succedevano	succederanno

PASSATO REMOTO	*PASSATO PROSSIMO*	PLUPERFECT
1. successi/succedetti*	sono successo/a	ero successo/a
2. succedesti	sei successo/a	eri successo/a
3. successe/succedette*	è successo/a	era successo/a
1. succedemmo	siamo successi/e	eravamo successi/e
2. succedeste	siete successi/e	eravate successi/e
3. successero/succedettero*	sono successi/e	erano successi/e

PAST ANTERIOR
fui successo/a *etc*

FUTURE PERFECT
sarò successo/a *etc*

CONDITIONAL

PRESENT	PAST
1. succederei	sarei successo/a
2. succederesti	saresti successo/a
3. succederebbe	sarebbe successo/a
1. succederemmo	saremmo successi/e
2. succedereste	sareste successi/e
3. succederebbero	sarebbero successi/e

IMPERATIVE

succedi
succeda
succediamo
succedete
succedano

SUBJUNCTIVE

PRESENT	IMPERFECT	PLUPERFECT
1. succeda	succedessi	fossi successo/a
2. succeda	succedessi	fossi successo/a
3. succeda	succedesse	fosse successo/a
1. succediamo	succedessimo	fossimo successi/e
2. succediate	succedeste	foste successi/e
3. succedano	succedessero	fossero successi/e

PASSATO PROSSIMO sia successo/a *etc*

INFINITIVE

PRESENT
succedere

PAST
esser(e) successo/a/i/e

GERUND

succedendo

PAST PARTICIPLE

successo/a/i/e

Note that the alternative past participle succeduto and asterisked *passato remoto* forms may be used when the verb means 'to come after'.

SVOLGERE
191 *to unroll, to unwind*

PRESENT	IMPERFECT	FUTURE
1. svolgo	svolgevo	svolgerò
2. svolgi	svolgevi	svolgerai
3. svolge	svolgeva	svolgerà
1. svolgiamo	svolgevamo	svolgeremo
2. svolgete	svolgevate	svolgerete
3. svolgono	svolgevano	svolgeranno
PASSATO REMOTO	***PASSATO PROSSIMO***	**PLUPERFECT**
1. svolsi	ho svolto	avevo svolto
2. svolgesti	hai svolto	avevi svolto
3. svolse	ha svolto	aveva svolto
1. svolgemmo	abbiamo svolto	avevamo svolto
2. svolgeste	avete svolto	avevate svolto
3. svolsero	hanno svolto	avevano svolto
PAST ANTERIOR		**FUTURE PERFECT**
ebbi svolto *etc*		avrò svolto *etc*

CONDITIONAL		*IMPERATIVE*
PRESENT	**PAST**	
1. svolgerei	avrei svolto	
2. svolgeresti	avresti svolto	svolgi
3. svolgerebbe	avrebbe svolto	svolga
1. svolgeremmo	avremmo svolto	svolgiamo
2. svolgereste	avreste svolto	svolgete
3. svolgerebbero	avrebbero svolto	svolgano

SUBJUNCTIVE		
PRESENT	**IMPERFECT**	**PLUPERFECT**
1. svolga	svolgessi	avessi svolto
2. svolga	svolgessi	avessi svolto
3. svolga	svolgesse	avesse svolto
1. svolgiamo	svolgessimo	avessimo svolto
2. svolgiate	svolgeste	aveste svolto
3. svolgano	svolgessero	avessero svolto
PASSATO PROSSIMO	abbia svolto *etc*	

INFINITIVE	*GERUND*	*PAST PARTICIPLE*
PRESENT	svolgendo	svolto
svolgere		
PAST		
aver(e) svolto		

PRESENT
1. taccio
2. taci
3. tace
1. tacciamo
2. tacete
3. tacciono

IMPERFECT
tacevo
tacevi
taceva
tacevamo
tacevate
tacevano

FUTURE
tacerò
tacerai
tacerà
taceremo
tacerete
taceranno

PASSATO REMOTO
1. tacqui
2. tacesti
3. tacque
1. tacemmo
2. taceste
3. tacquero

PASSATO PROSSIMO
ho taciuto
hai taciuto
ha taciuto
abbiamo taciuto
avete taciuto
hanno taciuto

PLUPERFECT
avevo taciuto
avevi taciuto
aveva taciuto
avevamo taciuto
avevate taciuto
avevano taciuto

PAST ANTERIOR
ebbi taciuto *etc*

FUTURE PERFECT
avrò taciuto *etc*

CONDITIONAL

PRESENT
1. tacerei
2. taceresti
3. tacerebbe
1. taceremmo
2. tacereste
3. tacerebbero

PAST
avrei taciuto
avresti taciuto
avrebbe taciuto
avremmo taciuto
avreste taciuto
avrebbero taciuto

IMPERATIVE

taci
taccia
tacciamo
tacete
tacciano

SUBJUNCTIVE

PRESENT
1. taccia
2. taccia
3. taccia
1. tacciamo
2. tacciate
3. tacciano

IMPERFECT
tacessi
tacessi
tacesse
tacessimo
taceste
tacessero

PLUPERFECT
avessi taciuto
avessi taciuto
avesse taciuto
avessimo taciuto
aveste taciuto
avessero taciuto

PASSATO PROSSIMO abbia taciuto *etc*

INFINITIVE

PRESENT
tacere

PAST
aver(e) taciuto

GERUND

tacendo

PAST PARTICIPLE

taciuto

RE
to fear, to be afraid of

	IMPERFECT	FUTURE
	temevo	temerò
i	temevi	temerai
e	temeva	temerà
miamo	temevamo	temeremo
mete	temevate	temerete
mono	temevano	temeranno

ATO REMOTO	*PASSATO PROSSIMO*	PLUPERFECT
emei/temetti	ho temuto	avevo temuto
emesti	hai temuto	avevi temuto
emé/temette	ha temuto	aveva temuto
tememmo	abbiamo temuto	avevamo temuto
temeste	avete temuto	avevate temuto
temerono/temettero	hanno temuto	avevano temuto

AST ANTERIOR
bbi temuto *etc*

FUTURE PERFECT
avrò temuto *etc*

CONDITIONAL

PRESENT	PAST
1. temerei	avrei temuto
2. temeresti	avresti temuto
3. temerebbe	avrebbe temuto
1. temeremmo	avremmo temuto
2. temereste	avreste temuto
3. temerebbero	avrebbero temuto

IMPERATIVE

temi
tema
temiamo
temete
temano

SUBJUNCTIVE

PRESENT	IMPERFECT	PLUPERFECT
1. tema	temessi	avessi temuto
2. tema	temessi	avessi temuto
3. tema	temesse	avesse temuto
1. temiamo	temessimo	avessimo temuto
2. temiate	temeste	aveste temuto
3. temano	temessero	avessero temuto

PASSATO PROSSIMO abbia temuto *etc*

INFINITIVE

PRESENT
temere

PAST
aver(e) temuto

GERUND

temendo

PAST PARTICIPLE

temuto

PRESENT	**IMPERFECT**	**FUTURE**
1. tengo	tenevo	terrò
2. tieni	tenevi	terrai
3. tiene	teneva	terrà
1. teniamo	tenevamo	terremo
2. tenete	tenevate	terrete
3. tengono	tenevano	terranno
PASSATO REMOTO	***PASSATO PROSSIMO***	**PLUPERFECT**
1. tenni	ho tenuto	avevo tenuto
2. tenesti	hai tenuto	avevi tenuto
3. tenne	ha tenuto	aveva tenuto
1. tenemmo	abbiamo tenuto	avevamo tenuto
2. teneste	avete tenuto	avevate tenuto
3. tennero	hanno tenuto	avevano tenuto
PAST ANTERIOR		**FUTURE PERFECT**
ebbi tenuto *etc*		avrò tenuto *etc*

CONDITIONAL / *IMPERATIVE*

PRESENT	**PAST**	
1. terrei	avrei tenuto	
2. terresti	avresti tenuto	tieni
3. terrebbe	avrebbe tenuto	tenga
1. terremmo	avremmo tenuto	teniamo
2. terreste	avreste tenuto	tenete
3. terrebbero	avrebbero tenuto	tengano

SUBJUNCTIVE

PRESENT	**IMPERFECT**	**PLUPERFECT**
1. tenga	tenessi	avessi tenuto
2. tenga	tenessi	avessi tenuto
3. tenga	tenesse	avesse tenuto
1. teniamo	tenessimo	avessimo tenuto
2. teniate	teneste	aveste tenuto
3. tengano	tenessero	avessero tenuto

PASSATO PROSSIMO abbia tenuto *etc*

INFINITIVE	*GERUND*	*PAST PARTICIPLE*
PRESENT	tenendo	tenuto
tenere		
PAST		
aver(e) tenuto		

TOCCARE
195 *to touch; to concern*

PRESENT	IMPERFECT	FUTURE
1. tocco	toccavo	toccherò
2. tocchi	toccavi	toccherai
3. tocca	toccava	toccherà
1. tocchiamo	toccavamo	toccheremo
2. toccate	toccavate	toccherete
3. toccano	toccavano	toccheranno
PASSATO REMOTO	***PASSATO PROSSIMO***	**PLUPERFECT**
1. toccai	ho toccato	avevo toccato
2. toccasti	hai toccato	avevi toccato
3. toccò	ha toccato	aveva toccato
1. toccammo	abbiamo toccato	avevamo toccato
2. toccaste	avete toccato	avevate toccato
3. toccarono	hanno toccato	avevano toccato
PAST ANTERIOR		**FUTURE PERFECT**
ebbi toccato *etc*		avrò toccato *etc*

CONDITIONAL / *IMPERATIVE*

PRESENT	PAST	
1. toccherei	avrei toccato	
2. toccheresti	avresti toccato	tocca
3. toccherebbe	avrebbe toccato	tocchi
1. toccheremmo	avremmo toccato	tocchiamo
2. tocchereste	avreste toccato	toccate
3. toccherebbero	avrebbero toccato	tocchino

SUBJUNCTIVE

PRESENT	IMPERFECT	PLUPERFECT
1. tocchi	toccassi	avessi toccato
2. tocchi	toccassi	avessi toccato
3. tocchi	toccasse	avesse toccato
1. tocchiamo	toccassimo	avessimo toccato
2. tocchiate	toccaste	aveste toccato
3. tocchino	toccassero	avessero toccato

PASSATO PROSSIMO abbia toccato *etc*

INFINITIVE	*GERUND*	*PAST PARTICIPLE*
PRESENT	toccando	toccato
toccare		
PAST		
aver(e) toccato		

PRESENT	IMPERFECT	FUTURE
1. tolgo	toglievo	toglierò
2. togli	toglievi	toglierai
3. toglie	toglieva	toglierà
1. togliamo	toglievamo	toglieremo
2. togliete	toglievate	toglierete
3. tolgono	toglievano	toglieranno

PASSATO REMOTO	*PASSATO PROSSIMO*	PLUPERFECT
1. tolsi	ho tolto	avevo tolto
2. togliesti	hai tolto	avevi tolto
3. tolse	ha tolto	aveva tolto
1. togliemmo	abbiamo tolto	avevamo tolto
2. toglieste	avete tolto	avevate tolto
3. tolsero	hanno tolto	avevano tolto

PAST ANTERIOR
ebbi tolto *etc*

FUTURE PERFECT
avrò tolto *etc*

CONDITIONAL

PRESENT	PAST
1. toglierei	avrei tolto
2. toglieresti	avresti tolto
3. toglierebbe	avrebbe tolto
1. toglieremmo	avremmo tolto
2. togliereste	avreste tolto
3. toglierebbero	avrebbero tolto

IMPERATIVE

togli
tolga
togliamo
togliete
tolgano

SUBJUNCTIVE

PRESENT	IMPERFECT	PLUPERFECT
1. tolga	togliessi	avessi tolto
2. tolga	togliessi	avessi tolto
3. tolga	togliesse	avesse tolto
1. togliamo	togliessimo	avessimo tolto
2. togliate	toglieste	aveste tolto
3. tolgano	togliessero	avessero tolto

PASSATO PROSSIMO abbia tolto *etc*

INFINITIVE

PRESENT
togliere

PAST
aver(e) tolto

GERUND

togliendo

PAST PARTICIPLE

tolto

TORCERE
197 *to twist*

PRESENT
1. torco
2. torci
3. torce
1. torciamo
2. torcete
3. torcono

IMPERFECT
torcevo
torcevi
torceva
torcevamo
torcevate
torcevano

FUTURE
torcerò
torcerai
torcerà
torceremo
torcerete
torceranno

PASSATO REMOTO
1. torsi
2. torcesti
3. torse
1. torcemmo
2. torceste
3. torsero

PASSATO PROSSIMO
ho torto
hai torto
ha torto
abbiamo torto
avete torto
hanno torto

PLUPERFECT
avevo torto
avevi torto
aveva torto
avevamo torto
avevate torto
avevano torto

PAST ANTERIOR
ebbi torto *etc*

FUTURE PERFECT
avrò torto *etc*

CONDITIONAL

PRESENT
1. torcerei
2. torceresti
3. torcerebbe
1. torceremmo
2. torcereste
3. torcerebbero

PAST
avrei torto
avresti torto
avrebbe torto
avremmo torto
avreste torto
avrebbero torto

IMPERATIVE

torci
torca
torciamo
torcete
torcano

SUBJUNCTIVE

PRESENT
1. torca
2. torca
3. torca
1. torciamo
2. torciate
3. torcano

IMPERFECT
torcessi
torcessi
torcesse
torcessimo
torceste
torcessero

PLUPERFECT
avessi torto
avessi torto
avesse torto
avessimo torto
aveste torto
avessero torto

PASSATO PROSSIMO abbia torto *etc*

INFINITIVE

PRESENT
torcere

PAST
aver(e) torto

GERUND

torcendo

PAST PARTICIPLE

torto

PRESENT	IMPERFECT	FUTURE
1. torno	tornavo	tornerò
2. torni	tornavi	tornerai
3. torna	tornava	tornerà
1. torniamo	tornavamo	torneremo
2. tornate	tornavate	tornerete
3. tornano	tornavano	torneranno
PASSATO REMOTO	***PASSATO PROSSIMO***	**PLUPERFECT**
1. tornai	sono tornato/a	ero tornato/a
2. tornasti	sei tornato/a	eri tornato/a
3. tornò	è tornato/a	era tornato/a
1. tornammo	siamo tornati/e	eravamo tornati/e
2. tornaste	siete tornati/e	eravate tornati/e
3. tornarono	sono tornati/e	erano tornati/e
PAST ANTERIOR		**FUTURE PERFECT**
fui tornato/a *etc*		sarò tornato/a *etc*

CONDITIONAL / *IMPERATIVE*

PRESENT	PAST	IMPERATIVE
1. tornerei	sarei tornato/a	
2. torneresti	saresti tornato/a	torna
3. tornerebbe	sarebbe tornato/a	torni
1. torneremmo	saremmo tornati/e	torniamo
2. tornereste	sareste tornati/e	tornate
3. tornerebbero	sarebbero tornati/e	tornino

SUBJUNCTIVE

PRESENT	IMPERFECT	PLUPERFECT
1. torni	tornassi	fossi tornato/a
2. torni	tornassi	fossi tornato/a
3. torni	tornasse	fosse tornato/a
1. torniamo	tornassimo	fossimo tornati/e
2. torniate	tornaste	foste tornati/e
3. tornino	tornassero	fossero tornati/e

PASSATO PROSSIMO sia tornato/a *etc*

INFINITIVE / *GERUND* / *PAST PARTICIPLE*

INFINITIVE	GERUND	PAST PARTICIPLE
PRESENT	tornando	tornato/a/i/e
tornare		
PAST		
esser(e) tornato/a/i/e		

TRADURRE
199 *to translate*

PRESENT	IMPERFECT	FUTURE
1. traduco	traducevo	tradurrò
2. traduci	traducevi	tradurrai
3. traduce	traduceva	tradurrà
1. traduciamo	traducevamo	tradurremo
2. traducete	traducevate	tradurrete
3. traducono	traducevano	tradurranno
PASSATO REMOTO	***PASSATO PROSSIMO***	**PLUPERFECT**
1. tradussi	ho tradotto	avevo tradotto
2. traducesti	hai tradotto	avevi tradotto
3. tradusse	ha tradotto	aveva tradotto
1. traducemmo	abbiamo tradotto	avevamo tradotto
2. traduceste	avete tradotto	avevate tradotto
3. tradussero	hanno tradotto	avevano tradotto
PAST ANTERIOR		**FUTURE PERFECT**
ebbi tradotto *etc*		avrò tradotto *etc*

CONDITIONAL / *IMPERATIVE*

PRESENT	PAST	IMPERATIVE
1. tradurrei	avrei tradotto	
2. tradurresti	avresti tradotto	traduci
3. tradurrebbe	avrebbe tradotto	traduca
1. tradurremmo	avremmo tradotto	traduciamo
2. tradurreste	avreste tradotto	traducete
3. tradurrebbero	avrebbero tradotto	traducano

SUBJUNCTIVE

PRESENT	IMPERFECT	PLUPERFECT
1. traduca	traducessi	avessi tradotto
2. traduca	traducessi	avessi tradotto
3. traduca	traducesse	avesse tradotto
1. traduciamo	traducessimo	avessimo tradotto
2. traduciate	traduceste	aveste tradotto
3. traducano	traducessero	avessero tradotto

PASSATO PROSSIMO abbia tradotto *etc*

INFINITIVE / *GERUND* / *PAST PARTICIPLE*

PRESENT
tradurre

PAST
aver(e) tradotto

GERUND: traducendo

PAST PARTICIPLE: tradotto

PRESENT	**IMPERFECT**	**FUTURE**
1. traggo	traevo	trarrò
2. trai	traevi	trarrai
3. trae	traeva	trarrà
1. traiamo	traevamo	trarremo
2. traete	traevate	trarrete
3. traggono	traevano	trarranno
PASSATO REMOTO	***PASSATO PROSSIMO***	**PLUPERFECT**
1. trassi	ho tratto	avevo tratto
2. traesti	hai tratto	avevi tratto
3. trasse	ha tratto	aveva tratto
1. traemmo	abbiamo tratto	avevamo tratto
2. traeste	avete tratto	avevate tratto
3. trassero	hanno tratto	avevano tratto
PAST ANTERIOR		**FUTURE PERFECT**
ebbi tratto *etc*		avrò tratto *etc*

CONDITIONAL / *IMPERATIVE*

PRESENT	**PAST**	
1. trarrei	avrei tratto	
2. trarresti	avresti tratto	trai
3. trarrebbe	avrebbe tratto	tragga
1. trarremmo	avremmo tratto	traiamo
2. trarreste	avreste tratto	traete
3. trarrebbero	avrebbero tratto	traggano

SUBJUNCTIVE

PRESENT	**IMPERFECT**	**PLUPERFECT**
1. tragga	traessi	avessi tratto
2. tragga	traessi	avessi tratto
3. tragga	traesse	avesse tratto
1. traiamo	traessimo	avessimo tratto
2. traiate	traeste	aveste tratto
3. traggano	traessero	avessero tratto

PASSATO PROSSIMO abbia tratto *etc*

INFINITIVE	*GERUND*	*PAST PARTICIPLE*
PRESENT	traendo	tratto
trarre		
PAST		
aver(e) tratto		

UCCIDERE
201 *to kill*

PRESENT	IMPERFECT	FUTURE
1. uccido	uccidevo	ucciderò
2. uccidi	uccidevi	ucciderai
3. uccide	uccideva	ucciderà
1. uccidiamo	uccidevamo	uccideremo
2. uccidete	uccidevate	ucciderete
3. uccidono	uccidevano	uccideranno

PASSATO REMOTO	*PASSATO PROSSIMO*	PLUPERFECT
1. uccisi	ho ucciso	avevo ucciso
2. uccidesti	hai ucciso	avevi ucciso
3. uccise	ha ucciso	aveva ucciso
1. uccidemmo	abbiamo ucciso	avevamo ucciso
2. uccideste	avete ucciso	avevate ucciso
3. uccisero	hanno ucciso	avevano ucciso

PAST ANTERIOR
ebbi ucciso *etc*

FUTURE PERFECT
avrò ucciso *etc*

CONDITIONAL

PRESENT	PAST
1. ucciderei	avrei ucciso
2. uccideresti	avresti ucciso
3. ucciderebbe	avrebbe ucciso
1. uccideremmo	avremmo ucciso
2. uccidereste	avreste ucciso
3. ucciderebbero	avrebbero ucciso

IMPERATIVE

uccidi
uccida
uccidiamo
uccidete
uccidano

SUBJUNCTIVE

PRESENT	IMPERFECT	PLUPERFECT
1. uccida	uccidessi	avessi ucciso
2. uccida	uccidessi	avessi ucciso
3. uccida	uccidesse	avesse ucciso
1. uccidiamo	uccidessimo	avessimo ucciso
2. uccidiate	uccideste	aveste ucciso
3. uccidano	uccidessero	avessero ucciso

PASSATO PROSSIMO abbia ucciso *etc*

INFINITIVE

PRESENT
uccidere

PAST
aver(e) ucciso

GERUND

uccidendo

PAST PARTICIPLE

ucciso

PRESENT	IMPERFECT	FUTURE
1. odo	udivo	udirò
2. odi	udivi	udirai
3. ode	udiva	udirà
1. udiamo	udivamo	udiremo
2. udite	udivate	udirete
3. odono	udivano	udiranno
PASSATO REMOTO	***PASSATO PROSSIMO***	**PLUPERFECT**
1. udii	ho udito	avevo udito
2. udisti	hai udito	avevi udito
3. udì	ha udito	aveva udito
1. udimmo	abbiamo udito	avevamo udito
2. udiste	avete udito	avevate udito
3. udirono	hanno udito	avevano udito
PAST ANTERIOR		**FUTURE PERFECT**
ebbi udito *etc*		avrò udito *etc*

CONDITIONAL / *IMPERATIVE*

PRESENT	PAST	IMPERATIVE
1. udirei	avrei udito	
2. udiresti	avresti udito	odi
3. udirebbe	avrebbe udito	oda
1. udiremmo	avremmo udito	udiamo
2. udireste	avreste udito	udite
3. udirebbero	avrebbero udito	odano

SUBJUNCTIVE

PRESENT	IMPERFECT	PLUPERFECT
1. oda	udissi	avessi udito
2. oda	udissi	avessi udito
3. oda	udisse	avesse udito
1. udiamo	udissimo	avessimo udito
2. udiate	udiste	aveste udito
3. odano	udissero	avessero udito

PASSATO PROSSIMO abbia udito *etc*

INFINITIVE / *GERUND* / *PAST PARTICIPLE*

INFINITIVE	GERUND	PAST PARTICIPLE
PRESENT	udendo	udito
udire		
PAST		
aver(e) udito		

USCIRE
203 *to go out*

PRESENT	IMPERFECT	FUTURE
1. esco	uscivo	uscirò
2. esci	uscivi	uscirai
3. esce	usciva	uscirà
1. usciamo	uscivamo	usciremo
2. uscite	uscivate	uscirete
3. escono	uscivano	usciranno
PASSATO REMOTO	***PASSATO PROSSIMO***	**PLUPERFECT**
1. uscii	sono uscito/a	ero uscito/a
2. uscisti	sei uscito/a	eri uscito/a
3. uscì	è uscito/a	era uscito/a
1. uscimmo	siamo usciti/e	eravamo usciti/e
2. usciste	siete usciti/e	eravate usciti/e
3. uscirono	sono usciti/e	erano usciti/e
PAST ANTERIOR		**FUTURE PERFECT**
fui uscito/a *etc*		sarò uscito/a *etc*

CONDITIONAL / *IMPERATIVE*

PRESENT	PAST	IMPERATIVE
1. uscirei	sarei uscito/a	
2. usciresti	saresti uscito/a	esci
3. uscirebbe	sarebbe uscito/a	esca
1. usciremmo	saremmo usciti/e	usciamo
2. uscireste	sareste usciti/e	uscite
3. uscirebbero	sarebbero usciti/e	escano

SUBJUNCTIVE

PRESENT	IMPERFECT	PLUPERFECT
1. esca	uscissi	fossi uscito/a
2. esca	uscissi	fossi uscito/a
3. esca	uscisse	fosse uscito/a
1. usciamo	uscissimo	fossimo usciti/e
2. usciate	usciste	foste usciti/e
3. escano	uscissero	fossero usciti/e

PASSATO PROSSIMO sia uscito/a *etc*

INFINITIVE	*GERUND*	*PAST PARTICIPLE*
PRESENT	uscendo	uscito/a/i/e
uscire		
PAST		
esser(e) uscito/a/i/e		

PRESENT	IMPERFECT	FUTURE
1. valgo	valevo	varrò
2. vali	valevi	varrai
3. vale	valeva	varrà
1. valiamo	valevamo	varremo
2. valete	valevate	varrete
3. valgono	valevano	varranno

PASSATO REMOTO	*PASSATO PROSSIMO*	PLUPERFECT
1. valsi	sono valso/a	ero valso/a
2. valesti	sei valso/a	eri valso/a
3. valse	è valso/a	era valso/a
1. valemmo	siamo valsi/e	eravamo valsi/e
2. valeste	siete valsi/e	eravate valsi/e
3. valsero	sono valsi/e	erano valsi/e

PAST ANTERIOR
fui valso/a *etc*

FUTURE PERFECT
sarò valso/a *etc*

CONDITIONAL

PRESENT	PAST
1. varrei	sarei valso/a
2. varresti	saresti valso/a
3. varrebbe	sarebbe valso/a
1. varremmo	saremmo valsi/e
2. varreste	sareste valsi/e
3. varrebbero	sarebbero valsi/e

IMPERATIVE

SUBJUNCTIVE

PRESENT	IMPERFECT	PLUPERFECT
1. valga	valessi	fossi valso/a
2. valga	valessi	fossi valso/a
3. valga	valesse	fosse valso/a
1. valiamo	valessimo	fossimo valsi/e
2. valiate	valeste	foste valsi/e
3. valgano	valessero	fossero valsi/e

PASSATO PROSSIMO sia valso/a *etc*

INFINITIVE

PRESENT
valere

PAST
esser(e) valso/a/i/e

GERUND

valendo

PAST PARTICIPLE

valso/a/i/e

VEDERE
205 *to see*

PRESENT	**IMPERFECT**	**FUTURE**
1. vedo	vedevo	vedrò
2. vedi	vedevi	vedrai
3. vede	vedeva	vedrà
1. vediamo	vedevamo	vedremo
2. vedete	vedevate	vedrete
3. vedono	vedevano	vedranno
PASSATO REMOTO	***PASSATO PROSSIMO***	**PLUPERFECT**
1. vidi	ho visto/veduto	avevo visto/veduto
2. vedesti	hai visto/veduto	avevi visto/veduto
3. vide	ha visto/veduto	aveva visto/veduto
1. vedemmo	abbiamo visto/veduto	avevamo visto/veduto
2. vedeste	avete visto/veduto	avevate visto/veduto
3. videro	hanno visto/veduto	avevano visto/veduto
PAST ANTERIOR		**FUTURE PERFECT**
ebbi visto/veduto *etc*		avrò visto/veduto *etc*

CONDITIONAL / *IMPERATIVE*

PRESENT	**PAST**	
1. vedrei	avrei visto/veduto	
2. vedresti	avresti visto/veduto	vedi
3. vedrebbe	avrebbe visto/veduto	veda
1. vedremmo	avremmo visto/veduto	vediamo
2. vedreste	avreste visto/veduto	vedete
3. vedrebbero	avrebbero visto/veduto	vedano

SUBJUNCTIVE

PRESENT	**IMPERFECT**	**PLUPERFECT**
1. veda	vedessi	avessi visto/veduto
2. veda	vedessi	avessi visto/veduto
3. veda	vedesse	avesse visto/veduto
1. vediamo	vedessimo	avessimo visto/veduto
2. vediate	vedeste	aveste visto/veduto
3. vedano	vedessero	avessero visto/veduto

PASSATO PROSSIMO abbia visto/veduto *etc*

INFINITIVE / *GERUND* / *PAST PARTICIPLE*

PRESENT
vedere

PAST
aver(e) visto/veduto

Gerund: vedendo

Past participle: visto/veduto

Note that **vedere** has two past participles, **visto** and **veduto**, which are used entirely interchangeably.

PRESENT	IMPERFECT	FUTURE
1. vengo	venivo	verrò
2. vieni	venivi	verrai
3. viene	veniva	verrà
1. veniamo	venivamo	verremo
2. venite	venivate	verrete
3. vengono	venivano	verranno

PASSATO REMOTO	*PASSATO PROSSIMO*	PLUPERFECT
1. venni	sono venuto/a	ero venuto/a
2. venisti	sei venuto/a	eri venuto/a
3. venne	è venuto/a	era venuto/a
1. venimmo	siamo venuti/e	eravamo venuti/e
2. veniste	siete venuti/e	eravate venuti/e
3. vennero	sono venuti/e	erano venuti/e

PAST ANTERIOR		FUTURE PERFECT
fui venuto/a *etc*		sarò venuto/a *etc*

CONDITIONAL / *IMPERATIVE*

PRESENT	PAST	IMPERATIVE
1. verrei	sarei venuto/a	
2. verresti	saresti venuto/a	vieni
3. verrebbe	sarebbe venuto/a	venga
1. verremmo	saremmo venuti/e	veniamo
2. verreste	sareste venuti/e	venite
3. verrebbero	sarebbero venuti/e	vengano

SUBJUNCTIVE

PRESENT	IMPERFECT	PLUPERFECT
1. venga	venissi	fossi venuto/a
2. venga	venissi	fossi venuto/a
3. venga	venisse	fosse venuto/a
1. veniamo	venissimo	fossimo venuti/e
2. veniate	veniste	foste venuti/e
3. vengano	venissero	fossero venuti/e

PASSATO PROSSIMO sia venuto/a *etc*

INFINITIVE / *GERUND* / *PAST PARTICIPLE*

INFINITIVE	GERUND	PAST PARTICIPLE
PRESENT venire	venendo	venuto/a/i/e
PAST esser(e) venuto/a/i/e		

VESTIRSI
207 *to get dressed*

PRESENT	**IMPERFECT**	**FUTURE**
1. mi vesto	mi vestivo	mi vestirò
2. ti vesti	ti vestivi	ti vestirai
3. si veste	si vestiva	si vestirà
1. ci vestiamo	ci vestivamo	ci vestiremo
2. vi vestite	vi vestivate	vi vestirete
3. si vestono	si vestivano	si vestiranno
PASSATO REMOTO	***PASSATO PROSSIMO***	**PLUPERFECT**
1. mi vestii	mi sono vestito/a	mi ero vestito/a
2. ti vestisti	ti sei vestito/a	ti eri vestito/a
3. si vestì	si è vestito/a	si era vestito/a
1. ci vestimmo	ci siamo vestiti/e	ci eravamo vestiti/e
2. vi vestiste	vi siete vestiti/e	vi eravate vestiti/e
3. si vestirono	si sono vestiti/e	si erano vestiti/e
PAST ANTERIOR		**FUTURE PERFECT**
mi fui vestito/a *etc*		mi sarò vestito/a *etc*

CONDITIONAL / *IMPERATIVE*

PRESENT	**PAST**	
1. mi vestirei	mi sarei vestito/a	
2. ti vestiresti	ti saresti vestito/a	vestiti
3. si vestirebbe	si sarebbe vestito/a	si vesta
1. ci vestiremmo	ci saremmo vestiti/e	vestiamoci
2. vi vestireste	vi sareste vestiti/e	vestitevi
3. si vestirebbero	si sarebbero vestiti/e	si vestano

SUBJUNCTIVE

PRESENT	**IMPERFECT**	**PLUPERFECT**
1. mi vesta	mi vestissi	mi fossi vestito/a
2. ti vesta	ti vestissi	ti fossi vestito/a
3. si vesta	si vestisse	si fosse vestito/a
1. ci vestiamo	ci vestissimo	ci fossimo vestiti/e
2. vi vestiate	vi vestiste	vi foste vestiti/e
3. si vestano	si vestissero	si fossero vestiti/e

PASSATO PROSSIMO mi sia vestito/a *etc*

INFINITIVE	*GERUND*	*PAST PARTICIPLE*
PRESENT	vestendomi *etc*	vestito/a/i/e
vestirsi		
PAST		
essersi vestito/a/i/e		

PRESENT	IMPERFECT	FUTURE
1. vinco	vincevo	vincerò
2. vinci	vincevi	vincerai
3. vince	vinceva	vincerà
1. vinciamo	vincevamo	vinceremo
2. vincete	vincevate	vincerete
3. vincono	vincevano	vinceranno
PASSATO REMOTO	***PASSATO PROSSIMO***	**PLUPERFECT**
1. vinsi	ho vinto	avevo vinto
2. vincesti	hai vinto	avevi vinto
3. vinse	ha vinto	aveva vinto
1. vincemmo	abbiamo vinto	avevamo vinto
2. vinceste	avete vinto	avevate vinto
3. vinsero	hanno vinto	avevano vinto
PAST ANTERIOR		**FUTURE PERFECT**
ebbi vinto *etc*		avrò vinto *etc*

CONDITIONAL / *IMPERATIVE*

PRESENT	PAST	IMPERATIVE
1. vincerei	avrei vinto	
2. vinceresti	avresti vinto	vinci
3. vincerebbe	avrebbe vinto	vinca
1. vinceremmo	avremmo vinto	vinciamo
2. vincereste	avreste vinto	vincete
3. vincerebbero	avrebbero vinto	vincano

SUBJUNCTIVE

PRESENT	IMPERFECT	PLUPERFECT
1. vinca	vincessi	avessi vinto
2. vinca	vincessi	avessi vinto
3. vinca	vincesse	avesse vinto
1. vinciamo	vincessimo	avessimo vinto
2. vinciate	vinceste	aveste vinto
3. vincano	vincessero	avessero vinto

PASSATO PROSSIMO abbia vinto *etc*

INFINITIVE / *GERUND* / *PAST PARTICIPLE*

INFINITIVE	GERUND	PAST PARTICIPLE
PRESENT	vincendo	vinto
vincere		
PAST		
aver(e) vinto		

VIVERE
209 *to live*

PRESENT	**IMPERFECT**	**FUTURE**
1. vivo	vivevo	vivrò
2. vivi	vivevi	vivrai
3. vive	viveva	vivrà
1. viviamo	vivevamo	vivremo
2. vivete	vivevate	vivrete
3. vivono	vivevano	vivranno

PASSATO REMOTO	***PASSATO PROSSIMO***	**PLUPERFECT**
1. vissi	sono vissuto/a	ero vissuto/a
2. vivesti	sei vissuto/a	eri vissuto/a
3. visse	è vissuto/a	era vissuto/a
1. vivemmo	siamo vissuti/e	eravamo vissuti/e
2. viveste	siete vissuti/e	eravate vissuti/e
3. vissero	sono vissuti/e	erano vissuti/e

PAST ANTERIOR		**FUTURE PERFECT**
fui vissuto/a *etc*		sarò vissuto/a *etc*

CONDITIONAL / *IMPERATIVE*

PRESENT	**PAST**	
1. vivrei	sarei vissuto/a	
2. vivresti	saresti vissuto/a	vivi
3. vivrebbe	sarebbe vissuto/a	viva
1. vivremmo	saremmo vissuti/e	viviamo
2. vivreste	sareste vissuti/e	vivete
3. vivrebbero	sarebbero vissuti/e	vivano

SUBJUNCTIVE

PRESENT	**IMPERFECT**	**PLUPERFECT**
1. viva	vivessi	fossi vissuto/a
2. viva	vivessi	fossi vissuto/a
3. viva	vivesse	fosse vissuto/a
1. viviamo	vivessimo	fossimo vissuti/e
2. viviate	viveste	foste vissuti/e
3. vivano	vivessero	fossero vissuti/e

PASSATO PROSSIMO sia vissuto/a *etc*

INFINITIVE	*GERUND*	*PAST PARTICIPLE*
PRESENT	vivendo	vissuto/a/i/e
vivere		
PAST		
esser(e) vissuto/a/i/e		

PRESENT	IMPERFECT	FUTURE
1. voglio	volevo	vorrò
2. vuoi	volevi	vorrai
3. vuole	voleva	vorrà
1. vogliamo	volevamo	vorremo
2. volete	volevate	vorrete
3. vogliono	volevano	vorranno

PASSATO REMOTO	*PASSATO PROSSIMO*	PLUPERFECT
1. volli	ho voluto	avevo voluto
2. volesti	hai voluto	avevi voluto
3. volle	ha voluto	aveva voluto
1. volemmo	abbiamo voluto	avevamo voluto
2. voleste	avete voluto	avevate voluto
3. vollero	hanno voluto	avevano voluto

PAST ANTERIOR
ebbi voluto *etc*

FUTURE PERFECT
avrò voluto *etc*

CONDITIONAL

PRESENT	PAST
1. vorrei	avrei voluto
2. vorresti	avresti voluto
3. vorrebbe	avrebbe voluto
1. vorremmo	avremmo voluto
2. vorreste	avreste voluto
3. vorrebbero	avrebbero voluto

IMPERATIVE

SUBJUNCTIVE

PRESENT	IMPERFECT	PLUPERFECT
1. voglia	volessi	avessi voluto
2. voglia	volessi	avessi voluto
3. voglia	volesse	avesse voluto
1. vogliamo	volessimo	avessimo voluto
2. vogliate	voleste	aveste voluto
3. vogliano	volessero	avessero voluto

PASSATO PROSSIMO abbia voluto *etc*

INFINITIVE

PRESENT
volere

PAST
aver(e) voluto

GERUND

volendo

PAST PARTICIPLE

voluto

Note that in compound tenses as an auxiliary, volere takes the same auxiliary as the following verb, eg: **I wanted to eat** ho voluto mangiare; **I wanted to go** sono voluto/a andare.

VOLGERE
211 *to turn*

PRESENT	IMPERFECT	FUTURE
1. volgo	volgevo	volgerò
2. volgi	volgevi	volgerai
3. volge	volgeva	volgerà
1. volgiamo	volgevamo	volgeremo
2. volgete	volgevate	volgerete
3. volgono	volgevano	volgeranno

PASSATO REMOTO	*PASSATO PROSSIMO*	PLUPERFECT
1. volsi	ho volto	avevo volto
2. volgesti	hai volto	avevi volto
3. volse	ha volto	aveva volto
1. volgemmo	abbiamo volto	avevamo volto
2. volgeste	avete volto	avevate volto
3. volsero	hanno volto	avevano volto

PAST ANTERIOR		FUTURE PERFECT
ebbi volto *etc*		avrò volto *etc*

CONDITIONAL / *IMPERATIVE*

PRESENT	PAST	
1. volgerei	avrei volto	
2. volgeresti	avresti volto	volgi
3. volgerebbe	avrebbe volto	volga
1. volgeremmo	avremmo volto	volgiamo
2. volgereste	avreste volto	volgete
3. volgerebbero	avrebbero volto	volgano

SUBJUNCTIVE

PRESENT	IMPERFECT	PLUPERFECT
1. volga	volgessi	avessi volto
2. volga	volgessi	avessi volto
3. volga	volgesse	avesse volto
1. volgiamo	volgessimo	avessimo volto
2. volgiate	volgeste	aveste volto
3. volgano	volgessero	avessero volto

PASSATO PROSSIMO abbia volto *etc*

INFINITIVE	*GERUND*	*PAST PARTICIPLE*
PRESENT	volgendo	volto
volgere		
PAST		
aver(e) volto		

INDEX OF ITALIAN VERBS

The verbs given in full in the tables on the preceding pages are used as models for all other Italian verbs given in this index. The number in the index is that of the corresponding verb table.

A verb shown in **blue** is itself given as a model.

An asterisk (*) after the verb denotes that the verb always conjugates with **essere** as the auxiliary verb in compound tenses.

The index also contains important irregular parts of model verbs: these are (a) the 1st person singular present tense where the infinitive would not easily be identifiable; (b) the 1st person singular of the *passato remoto* of irregular verbs; and (c) the past participle of irregular verbs.

All verbs in this index have been referred to model verbs with corresponding features. Certain reflexive verbs have been referred to reflexive model verbs; where the referred model is not reflexive, the reflexive pronouns have to be added.

This index contains over 2800 entries covering the most commonly used Italian verbs.

English-Italian Index

The following is an index of the most common English verbs and their main translations. Note that the correct translation for the English verb depends entirely on the context in which the verb is used and the user should consult a dictionary if in any doubt.

The verbs given in full in the tables on the preceding pages are used as models for all the Italian verbs given in this index. The number in the index is that of the corresponding verb table.

A verb shown in blue is given as a model itself.

submit	sottoporre 149
subscribe	abbonarsi 13, sottoscrivere 174
substitute	sostituire 98
subtract	sottrarre 200
succeed	riuscire 203
suck	succhiare 189
suffer	soffrire 180
suffocate	soffocare 38
sugar	zuccherare 138
suggest	suggerire 98
sum up	sommare 138
summarize	riassumere 23
summon	citare 138
supervise	sorvegliare 189
supply	fornire 99
support	sostenere 194
suppose	supporre 149
suppress	sopprimere 92
surpass	superare 138
surprise	sorprendere 153
surrender	arrendersi 156
surround	circondare 138
survive	sopravvivere 209
suspect	sospettare 138
sustain	sostenere 194
swallow	inghiottire 98/178
sway	oscillare 138
swear	bestemmiare 189, giurare 138
sweat	sudare 138
sweep	scopare 138
swell	gonfiare 189
swim	nuotare 133
swindle	truffare 138
switch	cambiare 34

T

tackle	affrontare 138
take	prendere 153
take apart	smontare 138